JN058093

メッキが剥がれた

マスメディアの「不都合な真実」

西岡力 × 阿比留瑠比

かや書房

本書は２０２３年11月30日までの情報で構成されています

はじめに

《西岡　力》

祖国を愛し左右の全体主義を憎むという価値観に立ち、先に結論を出さずに、事実に基づき是々非々で判断する。これが私のものを書くときのモットーだ。今回、阿比留記者と対談をしながら、なぜこんなに話が通じるのだろうかと考えて、私のモットーと同じ場所に阿比留記者がいるからではないかと、一人でうれしくなった。

その阿比留記者が、祖国のために殉職した安倍晋三さんや、やはり同じ戦いの中で斃(たお)れた中川昭一さんと心を通じさせていたことを知り、この二人の偉大な政治家も、もしかすると同じ場所にいたのかもしれないと思い、余計うれしくなった。

安倍さんは、「戦後レジームからの脱却」「日本を取り戻す」という目標を掲げた。その前に立ちはだかったのが、朝日新聞に代表される反日勢力だ。彼ら、彼女らは嘘つきで、偽善者だ。本書の中で、その点について深く、広く、事実を挙げて論じた。

ただ、気をつけるべきことが一つある。朝日に代表される反日勢力と戦う中で、ややもすると、こちらも似たような体質になる危険がある。

私は二十六年間、北朝鮮によって拉致された日本人を救出するための国民運動に取り組んできた。拉致というテロを行い、いまだに多くの日本人を抑留し続けている北朝鮮政権は許せないと思う。

しかし、十数年前、都内で拉致被害者救出を求める大規模なデモ行進をしたとき、隊列の中に「在特会」関係者が入り込んで、勝手に「朝鮮人は日本から出て行け」などという下劣な叫びを上げたことがあった。そのような活動を止められなかったことに対して、運動の責任者として私は謝罪文を出した。「在特会」的な排外主義は、私が憎む右の全体主義につながる。

また、私のもう一つのライフワークは慰安婦問題の嘘と戦うことだが、韓国政府が嘘を正さないまま、しつこく謝罪や補償を求め続けたので、韓国人全体が嘘つきで、韓国とは断交するべきだという言説が、わが国の一部で出てきた。

本書の中で私は、「日韓断交論は、わが国の安保という観点からナンセンスだ」と話した。するとと阿比留記者が、

「冷静に言うと、西岡さんのおっしゃるとおりだけれど、若干、そういう気持ちになる人

が出てきた経緯には納得する部分もあります。それこそ文在寅政権、朴槿恵政権のときから、本当に日本は困らされましたから。告げ口外交も、向こうの要求に応えても感謝もしないし、一方で何かやろうとすると必ず足を引っ張る。そんなことがずっと続いてきた。だから、気持ちはわかるけれど、西岡さんがおっしゃったように引越しできないから、だったらせめて利用しようと思うしかないのでは。」

と話した。これを聞いて、この人はバランスがとれた愛国者だなと、感銘した。

阿比留記者との対談は話題が尽きず、心地よい。それは阿比留記者が政治部記者として取材した、私の知らない多くの事実をわかりやすく話してくれるからであり、かつバランスのとれた愛国者の視点が貫かれているからでもある。

かや書房の白石泰稔さんには、本書の企画、編集で多大なるお世話になった。感謝します。

令和五年十二月

メッキが剥がれたマスメディアの「不都合な真実」目次

岸田総理によるXへの投稿の何が問題だったか
「イスラエルのまわりには、まともな国は一つもない」
岸田外交は安倍外交の延長線上にある
同時多発テロ後、テロは戦争になった
「だったら外務省なんか要らねぇんだ！」
拉致問題解決と憲法改正を実現できれば歴史に名が残る

おわりに

《阿比留瑠比》

編　集●白石泰稔
装　丁●柿木貴光
著者撮影●岩本幸太

第二章 「7・8」テロ以後の異様な言論空間

テロリストを称え、殺害された安倍元総理を加害者扱い

西岡　安倍晋三元総理がテロリストによる凶弾に斃れ、殉職した7・8奈良テロ事件以後、「安倍ガー」に象徴されるマスメディアや知識人による異様な言論空間が広がっています。安倍さんが死してなお、とにかく安倍さんの功績を打ち消そうとする歪んだ言論空間が盛り上がって、国葬反対騒ぎのときにピークに達しました。

阿比留　元々、マスコミはいい加減なものでしたけれど、安倍さんが亡くなった後、さらに野放図に、放埒（ほうらつ）に、もう好き勝手に発信している。安倍さんがマスコミを抑えていたわけじゃないけれど、7・8奈良テロ事件以降に一挙に地中から吹きだした印象がありますね。特に国葬反対の騒ぎのときに、統一教会の解散命令請求が出たわけですけれど、安倍さんは殺害された被害者なのに、その事件のことは忘れ去られて、まるで犯罪加害者のような扱いでした。それも、人間の尊厳とか礼儀とかを忘れたような振る舞いをマスコミや安倍ガーはした。国葬の当日にすぐ近くの公園で共産党の志位和夫委員長らがどんちゃん

騒ぎして、後に昭恵さんが「当日ぐらいはやめてほしかった」と私に嘆いていましたけれど、本当に、人間としてのルールとか秩序を無視したような形で一挙に吹き出しました。

安倍さんが亡くなって一年以上が経っても、まだ安倍ガーがずっと騒いで、なんとか安倍さんの生きた痕跡、残した功績を消して、何もできなかった無能な悪の政治家がいたぐらいに片付けてしまおうとしている。同時に「死人に口なし」とばかりに、いろいろなことを安倍さんにおっかぶせて、自分たちを正当化している人たちがどんどん姿を現している。醜い社会情勢だなと思います。

西岡　社会学者の宮台真司氏、あと漫画家の石坂啓氏とか。石坂氏は例のテロリストを「山上様」と持ち上げている。山上に対して「よくやった」とか発言しているのも一人や二人じゃないし、常識を疑うような発言があふれている。まず、マスメディアの報道姿勢も、知識人の多くも、テロというものの本質がわかっていない。テロというのは、戦争をするほどの力を持っていない政治集団が暴力によって政治目的を果たそうとするときに使う手段ですけれど、テロとはつまり、恐れを抱かせる。語源がテラーから来ているので。

阿比留　そうですね。恐怖。

西岡　恐怖ですよね。だから、それを「よくやった」なんて称えるのは論外で、彼らの目的を果たさせてはいけないのです。一つの目的が達成されたら「次の目的を果たすために、続けて暴力を振るうぞ」と脅すわけですからね。対象は軍人ではなく、市民。シビリアンに対して一方的に暴力を振るう。だから、そういう論理や行動を憎まなくてはいけない。そうしないと、またテロが起きる。それは自分に攻撃が向けられるかもしれないということですよ。

テロリストの言い分があたかも正しいかのような騒ぎ

西岡　少し話が逸れますけれど、私たち「救う会」（北朝鮮に拉致された日本人を救出するための全国協議会）は「家族会」（北朝鮮による拉致被害者家族連絡会）、拉致議連（北朝鮮に拉致された日本人を早期に救出するために行動する議員連盟）と「拉致はテロだ」と主張して、二〇〇三年にアメリカに行った。そうしたら、アメリカの議会や政府の対応がものすごくよかった。上院は、議長はいなくて、副大統領が議長なんです。だから実質的な議会のトップは院内総務で、民主党と共和党の院内総務が会ってくれた。それから下院議長にも会えた。国務副長官など政府高官にも会えた。大統領にも、三年後に会えた。普通の国の大統領が行ったたって、こんなメンバーには会えません。

なぜ外国人の国際テロ被害者に対してこんなに待遇がいいのかと考えると、一つは当時、アメリカがテロとの戦争の真っ只中にいたことがある。二〇〇一年に起きた「9・11」テロです。その直後で、まだどこでテロが起きるかわからない。でも、テロリストであるアルカイダ勢力の要求を呑んではいけないということをわかっている。どこにテロリストがいるかわからない、アルカイダが再度、大規模なテロ攻撃をするかもしれないという危機感が高まっていたとき、核をつくっている北朝鮮という「悪の枢軸」に人質を取られている家族が何を要求するかと思ったら「制裁してください」と言う。それに対してアメリカ側は理解を示してくれた。これは、アメリカ政府の中枢はテロの本質がわかっているということです。だから、一緒に戦おうという意見で一致する。

阿比留 それから数年経って民主党政権ができた頃、鳩山由紀夫さんが米軍普天間飛行場移設問題で迷走してアメリカの顰蹙を買ったのは有名な話ですが、当時、外務省の幹部は「日本はインド洋での給油をやめた。むしろテロとの戦いから脱落したことをアメリカは怒っている」と言っていた。「アメリカは本気で怒っていて、日本人はなぜかその現実を理解していない」と言っていました。

西岡　あれは小沢一郎が率いる民主党が参議院で多数をとり、反対したので通らなかった。福田康夫政権のとき、やはり三団体で訪米した。そのとき、民主党拉致対策本部長だった中井洽（ひろし）議員も同行した。国防総省に行って、中井さんが「北朝鮮のテロ国家指定を解除しないでください」とアメリカに要求した。すると、アメリカに「われわれも言うことがある。あなたたち民主党は給油を停止して、テロとの戦いから外れたじゃないか」と、正面切って言われてしまいました。

阿比留　そうですね。第一次安倍政権が終わって、麻生政権の頃からアメリカの態度が変わってきた。福田康夫政権で北朝鮮のテロ支援国家指定を外してしまった。アメリカの態度の変貌には、そういうことが背景にあった。あのとき、福田さんはまるで他人事のようでしたが。

西岡　テロの本質は、戦わなくてはいけないこと。だけど、安倍さんへのテロに対して起きたことは、テロリストの言い分があたかも正しいかのような騒ぎだった。もう、二重の意味での嘘。安倍さんが統一教会と近かったのも嘘だし、統一教会が、解散に値するような活動をしているかについても疑義がある。日本政府はこれまで「解散に当たらない」と言っていた。

二〇一二年に文科省が解散命令請求をしないことは違法だとして全国弁連が国家賠償請求を起こしましたが、これも二〇一七年、東京地裁は訴えを棄却しています。つまり日本政府は法廷で、解散請求は必要ない、という立場で訴訟を戦い、勝訴していた。村山富市元総理もそう言っていたし、岸田文雄内閣も昨年（二〇二二年）十月十四日に、その立場を閣議決定した。ところが岸田首相は、その閣議決定のわずか五日後の十月十九日に、その解散命令の根拠対象を、刑事、刑法に違反した行為だけでなく、民法七〇九条の不法行為を含めると答弁を変えて、解散請求のための手続きを始めた。そこから今回、二〇二三年十月の岸田政権による解散請求につながっていく。

それでは岸田首相が突然、立場を変えた昨年の十月頃に、何か状況の変化があったか。突然、統一教会を巡る大事件が起きたのか。何も起きてはいなくて、起きたのは安倍さんへのテロでした。安倍さんへのテロが起きて以後、一つの教団をつぶせ、と。その根拠は「安倍と教団は、ずぶずぶだ」という主張でした。しかし、安倍さんと教団はずぶずぶじゃないわけですね。しかも、その教団をつぶせというテロの目的が叶えられてしまった。自民党の大物政治家をテロすれば、その大物政治家に反対するマスコミの大部分は自分の主張を聞いてくれるという前例ができてしまった。

そういうテロとの戦いの本質を議論せずに、「安倍が悪い」「安倍がいなくなったから言論の自由が生まれた」などとバカバカしいことで、マスコミを中心にみんなが盛り上がっている。繰り返しますが、まさに異様な言論空間です。

「統一教会の闇」を煽ったマスメディアの狙い

阿比留　村山富市政権のとき、統一教会に関連した質問主意書が平成六年七月に出ていて、政府としては、一般的に特定の宗教団体が反社会的な団体であるかどうか判断する立場にない、と閣議決定した答弁書で言っているわけです。でも、今回のやり方は違いました。岸田さんは、最初は刑事罰が解散請求の要件だと言っていたのに、一晩で「民事も入りうる」と言い出した。これは本当に恐ろしいことです。

西岡　私は、少数派のキリスト教徒です。だから、余計に恐ろしい。キリスト教徒は日本の中でカトリックとプロテスタントを合わせても一パーセントいないぐらい。私はそのプロテスタントの中でも「福音派」と呼ばれる立場で、世界は神様がつくったものだし、イエス・キリストは処女マリアから生まれたし、キリストは十字架にかかって死んだけれども復活した、ということを信じているんです。でも、それは日本の大多数の人たちにとっては、非科学的だとか思われるような教義ですよね。異様かもしれない。でも、私たちにとっては、それは真理なわけです。日本の一パーセントくらいしか信じている人はいないわけです。もちろん献金もしていますし、海外からの送金で教会も建っています。

日本のキリスト教は、海外からの送金で成り立っていた部分がある。私が卒業した国際基督教大学も、建学のときは米国のキリスト教信者の寄付をもらった。だから、宗教団体というのは送金をするんですよ。そういう信仰が突然、反社会的な行為だと糾弾され、公共性がないと断罪されて解散命令が出たとする。「統一教会はオウム真理教のように殺人を犯した。毒ガスをつくっていた。だから解散だ」という話ではないのです。

阿比留　幹部がテロを命令したとか、そのような事実があるならば反社会的ですが、そういうわけではありません。統一教会がいかなる団体であろうと、法にのっとって対処しなければいけない。

西岡　資料によると、幹部たちが集団リンチ殺人を犯している教団がある。刑法に違反することが確認されていますが、その宗教法人に対しても、政府は解散請求をいまだに行っていない。宗教法人は免税の特権がありますから、公共性がなければ駄目だというのはわかります。犯罪行為を行ったら、百歩譲って民事でも、大変な被害を与えていたら駄目だと思いますが、その基準は明確に一つじゃないと困るわけです。突然、宗教団体と別のことで事件が起きたら基準が変わってしまうと、別のことで事件が起きたらキリスト教に対しても基準が変わるかもしれないと危惧(きぐ)してしまう。

阿比留　民事訴訟の問題でいうと、規模が大きく、信徒数が多い創価学会なんかは相当起きているはずです。

西岡　日本は資本主義社会ですから、私有財産処分の自由がある。盗んだら駄目ですよ。けれども、海外旅行で一〇〇万円使うとか、自分が信じている宗教に一〇〇万円献金するとかは、合法的に稼いだ自分の財産だったら自由なわけじゃないですか。本人が騙(だま)されていると言うならばいいけれど、本人じゃない家族とか、あるいは子どもたちが、成人した後に本来だったら自分に来るはずのお金だったと言われても、それは親が稼いだものは親が使っていいわけですよ。それなのに、被害者とされる人たちの言葉だけが集中的に報じられて、みんながそちらのほうにわーっと流れてしまった。危険な状況ですね。

阿比留 「統一教会の闇」などと騒いだのは、私の記憶では主に『週刊文春』や『週刊新潮』でした。つまり、二大週刊誌が一番煽(あお)っていたと思いますが、それからいろいろな被害者の記者会見などをテレビが報じた。大多数のマスメディアの狙いは、やっぱり、自民党と統一教会のずぶずぶぶりを印象づけることでした。印象こそがすべてだったとも言えます。

西岡 よく知られていますが、ニュージーランドでモスク襲撃事件（二つのイスラム教の礼拝堂で発生し、五一人が死亡した銃乱射事件）があったとき、当時のアーダーン首相が「ニュージーランドは男に何も与えない、名前もだ！」と言いましたよね。ですが今回、日本政府は安倍さんを殺したテロリストに、解散命令という報酬を与えてしまった。テロに対して報酬を与えたら、次のテロリストにも、「テロをやったら、いいことがありますよ」と言っているようなもの。これは、とんでもないことだと思いますね。

阿比留 例の山上某をクローズアップした映画までつくられました。それを朝日新聞が宣伝していた。そして、山上某を英雄化するのと同じように重信房子が英雄化された。TBSが重信メイを使ってハマス擁護をやらせた。それでイスラエル大使館が怒って国際問題化してしまった。日本人はあまりにもテロに甘過ぎるんじゃないかと思うわけです。実際、反発を買いそうですけれど、私は忠臣蔵が悪いんじゃないかと思っています。あんなのは、相手の立場から見れば、ただの逆恨みのテロでしょう。

実際、忠臣蔵事件が起きた後、類似の事件があったり、主君の追い腹みたいな、一時は消えていた風習が復活したりするなど、いろいろあった。恨みを晴らすことを、あまりに美化し過ぎている感はありますね。テロに対する認識がアメリカとは全く真逆に近い。

マスコミ報道に乗ってしまった自民党

西岡　日航機ハイジャック事件のときに、福田赳夫総理が「人の命は地球より重い」と言って赤軍派の要求を呑み、刑務所で懲役刑を受けていたテロリストを超法規的に釈放しただけでなく、多額のお金まで渡した。外国だったら、特殊部隊を使って武力でテロリストを射殺して、人質解放作戦を断行しますよ。やっぱりそこでもテロリストに報酬を与えている。そういうことをやっているから、北朝鮮の拉致事件も、平気で見逃すのかもしれませんね。

阿比留　評論家の内田樹（たつる）氏は何年か前に、安倍政権時代、安倍さんと安倍政権について、

「（敗戦後）表に出すことを禁じられた『邪悪な傾向』が七十年の抑圧の果て、フタを吹き飛ばして噴出してきたというのが安倍政権の歴史的意味だ。彼らは『間違ったこと』をしたい」と語っていた。そんなコメントを東京新聞が平気で掲載していた。載せる媒体も含めて極めて異常で、つまり安倍さんを悪魔化している。悪魔化して、「悪魔だから、どんな攻撃をしてもいいんだ」という論理を展開していた。そういう異様な風潮が本当に蔓延してしまいました。

朝日新聞も、自分たちが主張したいことをストレートには紙面にしないで、知識人に言わせる。非常に狡猾です。京都精華大学准教授の白井聡氏も、朝日新聞の言論サイトで、安倍さんを支持する人間が近くにいることが「耐えがたい苦痛」だとか「安倍政権の七年余りとは、日本史上の汚点である」とか、もうほとんど呪詛以下の言葉を吐き散らしていた。

つい最近も白井聡氏は法政大学教授の島田雅彦氏と、動画で愉快そうに話していた。島田氏は「いままで何ら一矢報いることができなかったリベラル市民として言えば、暗殺が成功してよかった」と発言していて、それを聞いて白井氏は笑っている。つまり白井聡氏は、テロを笑っているんですね。テロが成功したからよかったなんてと思っているのではないか。市民が殺されるのがテロ。先ほどの忠臣蔵の話に付言すると、忠臣蔵は相手が特定されている復讐劇だけど、テロは不特定多数を狙う。

西岡　その邪悪さという話だと、一部の被害者といわれる人だけが出てきて、それにみんながかわいそうだと思う構造は慰安婦問題と似ているなと思います。元慰安婦の人が出てきて、ひどい目に遭ったと主張する。一時期、騙された人もたくさんいました。それを仕掛けたのが、やはり朝日新聞だった。朝日新聞が一九九一年に一五〇本、慰安婦に関する記事を出しているんですよ。二日に一本のペースで出している。

そのうち六〇本が大阪本社でした。大阪本社、政治部も外信部もない。それなのに執念を持って、慰安婦や日本の戦争犯罪を暴く記事をすごくやっている。

「女たちの戦争」という大型特集を一年間続け、そこで吉田清治の「朝鮮人女性を強制連行した」というウソ証言を二回も大きく取り上げ、最初に名乗り出た金学順さんのことを、本人は「貧困の結果、慰安婦になった」と言っているのに、「女子挺身隊の名で戦場に連行された」と捏造する記事を植村隆記者に書かせた。

その大型特集の最終回は、このような異常な戦前および軍に対する偏見を堂々と書いた。〈大戦時の異常さを、ひそかに懐かしんでいる者が、この社会のどこかに身をひそめていないか。

一般社会の階層秩序が通用しない軍隊なればこそ、人を遠慮なく殴打できた者。平時の倫理が無視される戦時なればこそ、女性の性を蹂躙できた者。通常の権利が無視される非常時なればこそ、うまく立ち回って飽食の特権を得た者。

そうした人たちがいて、戦時に郷愁の念を抱きながら、口を閉ざしているのではないだろうか。そんな人々の沈黙の深い闇が、この日本社会の底に沈んでいるような気がする。〉

このおぞましい文を書き、慰安婦キャンペーンを企画したのは北畠清泰氏という、大阪本社の企画報道室長でした。

阿比留　そして北畠氏は、実際に軍経験がある人を含めた読者から、吉田証言について、それは違うという手紙が来たら、見たくないものから目を逸らしてはいけないみたいな反論をしている。

西岡　北畠氏は一九九二年一月に、論説委員に出世した。その立場から、北畠氏は一九九二年一月二十三日に、吉田清治氏を絶賛する署名コラムを書いた。これが最初に、東京本社版に掲載された。吉田清治の慰安婦「奴隷狩り」証言記事です。このコラムに対しては、「ありえない」とする元軍人らの投書が多数届きました。続けて北畠氏はそれら読者の忠告を、叱りつけるようなコラムを書いたんです。一九九二年三月三日付夕刊に掲載されたコラム

「窓　論説委員室から　歴史のために」で、こう書いています。

〈従軍慰安婦を強制連行した吉田清治さんの告白が、この欄（一月二十三日付）で紹介された。その後、たくさんの投書をいただいた。（中略）日本軍の残虐行為はなかったとか、公表するなとか言う人の論拠には、共通する型がある、ということだ。

（1）そんなことは見たことも聞いたこともない。軍律、兵隊の心情にてらしても、それはありえない。もし事実だとしても、それは例外で、一般化するのは不当である。なかには自己顕示欲や誇張癖のために、ゆがめられた話もあるだろう。

（2）自虐的に自国の歴史を語るな。（中略）

（3）日本軍の残虐行為を知ったら、遺族は、わが父、兄弟も加わったかと苦しむだろう。

（中略）

以上のように主張したい人々の気持ちは、よくわかる。だれにも理屈だけでは動きたくない情というものがある。しかし、それだけでいいのか。自問せざるをえない。（中略）知りたくない、信じたくないことがある。だが、その思いと格闘しないことには、歴史は残せない。〉

いま読み返しても、腹が立つ暴言です。朝日は二〇一四年になって、やっと吉田清治の証言を取り消したけれど、北畑論説委員に紙面で叱りつけられた読者には依然として謝っていない。あまりにも不誠実ですね。

阿比留 そうですね。

西岡 そういう可哀相だと言われる人を出してきて、でも自分たちの枠組みがつくってあって、「悪いのは安倍だ」「悪いのは日本軍人だ」ということにする。かわいそうな犠牲者を表に出しながら、しかし本当は、その犠牲者のためではなくて、自分たちの政治目的を達成しようとする。

ところで、毎日新聞が今になっても、朝日の慰安婦ねつ造記事と同じ種類のひどい記事を載せています。二〇二三年九月二十六日の北海道版に、憲兵が白昼、朝鮮人労働者を斬り殺すところを見たという八九歳の老人のことを取り上げているのです。その老人は「第二の吉田清治」と言えるかもしれません。

〈目の前で朝鮮人青年が……81年前の壮絶な体験告白

「目の前で朝鮮人が殺されたんだ」。8月中旬、東アジアの平和構築や交流を目的に、幌加内町朱鞠内で開かれた「東アジア共同ワークショップ」(WS)。参加者約100人の中で最高齢の日本人男性(89)=札幌市=はマイクを手に取り、少年時代の体験を静かに語り始めた。

1942年4月。幌加内村（現幌加内町）の朱鞠内国民学校2年生だった男性はその日、いつもより早く学校から帰宅した。両親は下宿屋を営んでいたが、父は旧満州（現中国東北部）へ出征し、母は実家に帰っていたため、家には一人だった。

トイレで用を足そうとした時、窓の外にふと目を向けると、日ごろ仲良く遊んでくれていた朝鮮人労働者の青年2人が後ろで手を縛られて立っていた。向かいには刀を下げた憲兵2人がいる。1人の青年と目が合う。視線に気がついた憲兵がこちらへ振り向いたすきに、青年たちは逃げ出そうとした。その瞬間、憲兵が背後から青年2人の首めがけて刀を振り下ろす。二歩、三歩と進んだ体が、倒れこむのが見えた——。

「どうしよう」。しゃがみ込んだが、数秒後に憲兵2人が裏口のドアを蹴破って入ってきた。「お前、これ見たか?」。首を縦に振る。「見た以上は生かしておけん」。刀が上がった。「こんな子供を殺してどうするんだ」。もう1人の憲兵が止めに入る。「お前、これを忘れるか?」

「はい」〉

書いたのは金将来記者です。若い記者なのでしょうが、戦前の日本についての基礎知識が全くない。憲兵は軍内の不法行為を取り締まる機関であって、民間人に権限はない。そもそも動員された朝鮮人は、炭鉱や軍需工場で給料をもらって働いていました。徴兵で日本の若者がいなくなった穴を埋めるためにわざわざ、朝鮮から連れてきた労働力を殺すことなどあり得ない。それも、戦場でもない日本内地で裁判もせずに人を殺すなどあり得ない。若い記者が、「老人がこのような証言をした」と得意になり、それをそのまま記事にしたとき、デスクや幹部らは「裏取りをせよ」と言わなかったのか。朝日の慰安婦キャンペーンを主導した北畠氏のような偏見の持ち主が、毎日新聞に今もいるのですね。

阿比留 東日本大震災の事例でいえば、悪いのは東京電力だ、でもいいんですよね。同じ構造です。

西岡 だから、安倍さんが亡くなってから、統一教会に対してやったことと慰安婦問題は似ているなと思ったわけです。

もう一つ、隠されている大切な事実がある。旧統一教会の信者がこれまで突然、拉致されて監禁下で強制改宗をさせられる事件の被害に遭ってきたことです。全国弁連が、こうした拉致監禁で強制改宗された元信者を長年にわたって利用し、教団追及の裁判闘争を展開してきたのです。文化庁が解散請求の根拠として挙げた、旧統一教会が敗訴し、不法行為や教団の使用者責任が認められた民事訴訟判決二二件（請求時には三二件に増加）の原告、二三一人のうち一二八人は、実は拉致監禁によって強制棄教させられた人たちです。

恥ずかしいことですけれど、キリスト教の一部牧師も、拉致監禁による強制改宗に協力していた。中には十年以上、監禁されて脱出屋を訴えて民事で勝って二二〇〇万円の賠償を勝ち取った人もいる。本当は、裏と表、全部を見なくちゃいけないのに。慰安婦も、確かに貧困のために一〇代で慰安所に行って、親の借金を売春で返した。そういう女性は日本人にも朝鮮人にもいたんです。

でも、その事実が強制連行でレイプされたというふうに運動家たちに脚色されて、日韓関係がぐちゃぐちゃになった。今、その慰安婦問題と同じように献金とかさまざまなことで被害を受けた人もいるでしょうけれど、しかし逆被害もある。民事訴訟というのは、そういうものですよ。お互いに言い分がある。刑事とは違うわけです。その民事で不法行為だと判断されたからと解散命令を出してしまうのは、明らかにおかしい。民事は、お金で済むんだったらいいやって途中でやめることもあるわけで、そういうものじゃないですか。だから、警察は民事不介入でしょう。警察が犯罪行為にしているわけじゃない。統一教会に関する報道は、本当にゆがんでいるし、一面、一部のことしか報道しなくて、全体の構造は報道されない。

阿比留　そのマスコミ報道に自民党が乗ってしまって、世論に押されてここまでしたのが大問題ですね。今回、岸田総理がやったのは河野談話と同じですよ。強制連行を認めないと世論が満足しないっていうのと、解散命令出さないと世論が満足しないということに乗ってしまったのは同じ。東京新聞はずっと統一教会は反社会的行為をしていたのに、なぜ問題にならなかったのかは、自民党の保守政治家が統一教会をかばっていたからだと言っている。そういう理屈じゃないと、突然基準が変わるのは説明できないからですね。

西岡　岸田総理がそれを受け入れるということは、自民党という政党が反社会的な教団を四十年間かばっていたことになる。そんなことを言われていいのでしょうか。それは、日本という国がレイプ犯だというのと同じじゃないですか。戦うときは戦わなくちゃいけない。

自分たちのやっていることは正しいという思い込み

阿比留　もう一つの視点で、朝日新聞の武田啓亮記者が「目的は手段を浄化する」とポスト（旧・ツイート）して話題になったことがある。目的は手段を正当化するというのは、トロツキーの流れだと思いますが、要は、報道、取材方法は西山事件に関連して、目的が正しければどんな手段を使ってもいいということを主張して批判を浴びたわけです。結局、その元がトロツキーであるのと同じように、左翼の人たちの発想はこれなんです。だから、慰安婦にしても、統一教会にしても、少々筋が違うねとか、話が脇道に逸れたと自覚していても、自分たちの目的は正しいから利用すればいいと思ってやっているんですね。

だから、テロで安倍さんが亡くなったことに対して、人間としての尊厳を傷つけるようなことと平気でやるのも、自分たちのやっていることは正しいという思い込みがあるからなのです。自分たちは正義であり善であると信じている。これも左翼のイデオロギーなのだと思いますが。

西岡　今の話で思い出したのは、北朝鮮の政治犯の収容所で囚人を管理している人が韓国に脱北して、収容所の内情を証言した。収容所の管理者たちに対する教育があるようで、「政治犯たちを人間と思うな。彼らには人権がない」と。労働新聞の論説でも「人権がない」と書いている。つまり、革命という大義があると、反革命というレッテルを貼られた人は、人間じゃなくなるわけです。理由は、革命が正義だから。まさに正義という目的が先にあって、手段は肯定されることが極限までいくと、人権はすべての人間にあるものだけれど、「反革命分子は、人間と思うな」という教育をしている事実がある。

阿比留 なるほど。イデオロギーで正当化している。

西岡 やはり、革命が目的だから。TBSの金平茂紀キャスターはテロリストの重信房子が出所するときに迎えに行ったり、京都で重信房子の夫の親と同じ集会で講演しているわけですね。おかしいですよ。罪もないイスラエル人を大量殺人して、もちろん刑を終えて出ているからそこの区切りはあるけれど、いまだに持ち上げているという。この人たちは、人が死ぬとか、人の死の尊厳とかに関して何も考えていなくて、自分たちが正しいと思うことをやりたいだけなんですよ。

阿比留 マスコミの話に戻ると、国葬の日に私がしみじみ思ったのは、共産党が近くの公園でどんちゃん騒ぎをやっていた。そこには確か一五〇〇人ぐらいしか集まってないんですよね。もう一方で、安倍さんの国葬の武道館には呼ばれてない人で献花に行ったのが二万七〇〇〇人弱ぐらい。みなさん四時間も五時間も並んで冥福を祈ったわけです。だから普通に献花に行った人たちの様子や言葉を、テレビで拾えばいいのに、マスコミは反対集会ばかりを報じていました。

西岡　これも異様です。サイレント・マジョリティーよりもノイジー・マイノリティーを優先する。クローズアップする目的は何かというと、やはり安倍さんに対する私怨があるのでしょう。

阿比留　それこそ安倍さんにも生前「モリ・カケ」のバカ騒ぎがありました。結局、「モリ・カケ」では安倍さんが犯罪に問われるような証拠が一つも出てこなかったので、言ってみればマスコミは全敗して大恥をかいたわけです。だから国葬の空騒ぎは、それに対する仕返しみたいな気持ちもあったのでしょう。

西岡　マスコミは、大恥をかいたとは思っていないんじゃないですか。

阿比留　はっきり言えば、安倍さんの「モリ・カケ」事件は完全な冤罪(えんざい)でした。マスコミの言いがかりでしかない。「疑惑ガー」と報じ続けた朝日新聞で笑ったのは、あれだけ馬に食わせるほど「モリ・カケ」を書いておきながら、文藝評論家の小川榮太郎さんを訴えた裁判では、安倍さんがやったとは一言も言っていないというニュアンスを貫いた。しかも記者に書かせるのではなく、弁護士に言わせているんですよね。

革命の観点から絶対に許してはいけないという立場

西岡　日本のマスコミは反権力じゃなきゃいけないみたいな、もっと言えばテロなどを擁護するほうに立ちがちですね。

阿比留　そうですね。反権力は手段であって目的ではないはず。権力者の動向をウオッチする中で、おかしいと思って反権力になるのはわかるけれど、反権力ありきというのは意味がないですよね。マスコミ内では、反権力や左翼は多数派であり、体制派です。そのほうが、ずっと楽にやっていける。

西岡　『崩壊　朝日新聞』（ワック）という本を書いた元朝日新聞記者である長谷川熙（ひろし）氏によれば、朝日新聞の多くの記者たちは、戦後からある時期まで、幹部も含めて本気で社会主義革命が起きると思っていたそうです。朝日新聞社内が旧ソ連派と中国派で争って、現実から遊離した自分たちの観念の世界で報道していたと書いている。革命が起こると本気で信じているから、今の権力は倒さなければならない。だから今のマスコミの役割は、現在の権力を倒すことになっている。そうしないと革命が起こった後、自分たちが粛清（しゅくせい）されてしまうから。

阿比留　自民党政権を倒さないと、革命が成った後に自分たちは粛正されると信じているのですね。

だから、疑似革命政権である民主党政権のときだけは優しかった。あの頃は仙谷由人（せんごくよしと）官房長官が政治の文化大革命が始まるとか、「文革」という言葉をよく持ち出すなと思っていました。小沢一郎氏もよく、「これは政権交代じゃなくて革命なんだ」と言っていましたね。

西岡　しかしソ連が崩壊したので、朝日新聞の中では、一種のパニックが起きてしまった。封建制から資本主義、資本主義から社会主義、共産主義と歴史は進歩する、という思想だから、自分たちのことを進歩的知識人と言っていたのに、その精神的支柱だった社会主義が倒れて資本主義になってしまった。本来だったら自分たちが間違えていたって言わなくちゃいけないのに、言わないで暴走したことで慰安婦問題の捏造事件を起こしてしまった。

阿比留　なるほど。

西岡　ソ連が崩壊したのが一九九一年十二月、まさにその年に、慰安婦問題の報道を一五

○本もやった。その問題とまさに戦っていたのは安倍さんだから、安倍さんのことが憎くて仕方がないわけですね。革命を起こして社会主義に向かいたかった朝日新聞の勢力があった。それに対して日本は自由民主主義陣営に立たなくちゃいけない。だから日米同盟を強くして、日本が自立し、自衛のための防衛力を整備しなければならないと戦ってきたのが、安倍さんや中川昭一さんたちだった。その動きを、朝日新聞は革命の観点から絶対許してはいけないという立場に立った。唯一の武器である反日で対抗したわけです。

過去の軍隊は悪いものだ、日本軍は女性たちをレイプしたと。だから日本軍を信じるなというキャンペーンをやった。それに立ち向かったのは安倍さんだから、テロをしてでも倒せという思考になる。

阿比留 私、産経新聞社には平成二年の入社ですけれど、平成二年六月に仙台総局に配属されました。最初は、警察取材のほかは何を取材していいかわからないから、取りあえず当時のNGO、今のNPOですね。その人たちが何をやっているかを取材しようと思って、いろいろと回った。かなりの確率で、NGOの事務所には「Z」と書かれたヘルメットがありました。日常風景として、普通にヘルメットが置いてあるわけです。

ソ連崩壊後に彼らは左翼を堂々と名乗れなくなった。市民団体とかNGOを名乗るようになった。そこに潜(もぐ)ったわけです。吉本隆明の著書に『わが「転向」』という本があるんですけれど、これはソ連崩壊後に深刻な反省も何もしないで、少し、半身だけすり替えて何も反省も述べずにやっている文化人、政治家、その他の人々を短い文章ですけれど、「姑息な知識人」と呼んで、すごく批判している。「一度もロシア・マルクス主義に対して否定的な批判をしたりしないできて、またぞろ自分の理念を水で薄めれば通用すると思っている」と。つまり、偽物ということですよ。そういう現象はマスコミ全体にもありました。

西岡　韓国の『反日種族主義』を書いた人たちも、やっぱり、実は共産主義を信仰していた。李栄薫先生もそうでした。けれど、韓国の革命運動は二つのセクトがあって、一つは主体思想という北にずぶずぶの人たち。李栄薫先生たちは、二つ目の純粋マルクス・レーニン主義派だったわけです。その人々は社会主義が倒れて、本当にショックを受けた。思想的に葛藤して、その中で反日は間違っているとわかって自分たちの歴史を正しく見なくちゃいけないというところまでいくんです。

日本でそういう人たちがいたか。日本の左の、経済学者や政治学者、ジャーナリストの多くは、革命が起きると思っていたけれど、ソ連が倒れてしまった。そこで、思想的な葛藤を経ず、安易に反日日本人に化けていった。

阿比留　朝日新聞の話をすると、第二次安倍政権の初期の頃のことです。平和安全法制の審議に入るか入らないかぐらいの頃に、外務省の幹部と話していたら「最近の朝日新聞の報道を見ると、自信がつく」と言っていたわけですね。サンフランシスコ単独講和、全面講和から始まって、六〇年安保、周辺事態法、ＰＫＯ法と、政府はずっと朝日新聞の言うことの逆をやって成功してきたと。だから、「これだけ反対されると、われわれは正しいと自信がつく」ということでした。

彼らが面白いのは反省とか絶対にしないんですね。自分の立場を少しすり替えて、そのままでいようとする。あと、これは最近のことですけれど、安倍さんが秘蔵っ子とした、杉田水脈さんとか、それから高市早苗さんに対しての攻撃がすごい。特に朝日新聞からの攻撃がすごいですよね。彼女たちに対しての攻撃的な報道は、安倍さんに対して行った攻撃と似たようなものと考えていいのではないでしょうか。

第二章 特定の政治家を狙って「印象操作」するマスメディア

朝日新聞が杉田水脈氏を目の敵にする理由

西岡　朝日新聞二〇二三年九月二十三日の朝刊で、「杉田水脈氏　もう議員の資格はない」との社説を出した。「現職の国会議員が、公の機関から人権侵犯を認定されるとは、驚きあきれる。重く受け止めるなら、ただちに反省の弁を述べるのが当然なのに、それもしない。過去の謝罪が本心だったか疑わしく、むしろ議員を続ける資格がないと言うほかない」と書いた。

阿比留　そのままブーメランとして返せますね。慰安婦問題と東京電力福島第一原発の吉田所長の聴取記録の大誤報を、朝日は本当に反省しているのか。

西岡　私は、「朝日新聞が公の機関からねつ造を認定されたとは驚きあきれる。その事実を重く埋め止めるなら、ただちに反省の弁を述べるのが当然なのに、それもしない。過去の謝罪が本心だったのかも疑わしく、もはや新聞を続ける資格がないと言うほかない」と言いたい（笑）。

つまり、朝日新聞は二〇一四年に慰安婦について、一部彼らの言うところの誤報を認めた。しかし、ねつ造は認めていません。でも、私は「ねつ造だ」と言ったわけです。ただ、朝日新聞を辞めた植村隆氏と、前朝日新聞の記者が私を名誉毀損で訴えました。それで、私は裁判で勝ったわけですよ。完全勝利でした。真実相当性が認められたのではなく、判決は真実性が認められたわけです。私が植村氏の書いた記事がねつ造と言ったけれども、裁判では「捏造は真実だ」と判決が出た。だから、新聞が公の機関からねつ造を認定されたと「驚きあきれる」わけですね。朝日新聞は自分がそういうことをしていながら、その判決が出た後も謝罪していない。人権侵害認定よりも、もっと重い。日本国に対する重大な名誉毀損をやって「ねつ造」と言われたのですから。

阿比留　杉田さんが落選時代中、二〇一六年にアイヌの人についてブログで書いたとき、どうして杉田さんが国連に行っていたかというと、朝日新聞が広めたウソを正そうと人権理事会に何回も通っていたわけですよ。二〇一五年、杉田さんが人権理事会で「強制連行の証拠はない」とスピーチをしたことで、国連の人権委員会の専門委員が驚いた。強制連行はないっていう主張を初めて聞いたと。それで日本政府に、この主張は正しいのかどうかって質問が来たわけです。安倍政権は当時の杉山外務審議官を国連に送って、強制連行の証拠はないと伝えた。性奴隷は間違っている、二〇万人もおかしいと。朝日新聞が誤報をしたので、こういう嘘が世界に広まった。国連に対して、その答弁をしたわけです。

朝日新聞は、杉山さんの朝日新聞に言及している部分を全く書かなかった。まさに社として私怨を書いているとしか思えないわけです。人権侵害というならば、どうして北海道ではなく、ジュネーブで起きたのかを書くべきなんです。さらに言うと、朝日新聞社説で、四年前にできたアイヌ施策推進法はアイヌの人々が誇りを持って暮らせる社会の実現を謳い、差別を禁じているって偉そうに書いているわけです。杉田さんの七年前のブログについて、法の不遡及の原則を破って事後法で人を裁こうとしたわけです。朝日新聞は東京裁判かという話なんですよ。

西岡　朝日新聞がねつ造記事を書かなかったら、杉田さんはジュネーブに行く必要はなかった。誰が原因を提供したのかということですね。そういう自分たちにとって都合が悪いことを書かない。日本政府の答弁で「朝日新聞」って名指しされても、それを報道しない。私の最高裁の判決が出たとき、朝日新聞は小さな記事を書いた。そこでも、ねつ造をした。

朝日は二〇二一年三月一三日の紙面において、最高裁が植村氏の上告を棄却して私の勝訴が確定したことを書いた記事で、もう一つ重大なねつ造をしているのです。その記事は短いので、ここに紹介します。

〈元朝日記者の敗訴が確定　慰安婦報道訴訟

韓国人元慰安婦の証言を書いた1991年の朝日新聞記事を「捏造」と記述され名誉を傷つけられたとして、元朝日新聞記者で「週刊金曜日」発行人兼社長・植村隆氏が、西岡力・麗沢大客員教授と「週刊文春」発行元の文藝春秋に賠償などを求めた裁判で、最高裁第一小法廷（小池裕裁判長）は植村氏の上告を退けた。名誉毀損の成立を否定した一、二審判決が確定した。11日付の決定。

東京地裁は、日本軍や政府による女子挺身隊の動員と人身売買を混同した同記事を意図的な「捏造」と評した西岡氏らの指摘について、重要な部分は真実だと認定。東京高裁は指摘にも不正確な部分があると認めつつ、真実相当性があるとして結論は支持していた。〉

地裁は真実だと認定したが、高裁は真実相当性だけを認定し、そのうえ西岡の指摘にも不十分な点があると認めたと書いています。これがねつ造なのです。裁判で争点となったのは、次の三つの私の主張です。高裁判決から引用します。

①「控訴人（植村）は、金学順が経済的困窮のためキーセンに身売りされたという経歴を有していることを知っていたが、このことを記事にすると権力による強制連行という前提

にとって都合が悪いため、あえてこれを記事に記載しなかった」
②「控訴人（植村）が、意図的に事実と異なる記事を書いたのは、権力による強制連行という前提を維持し、遺族会の幹部である義母の裁判を有利なものにするためであった」
③「控訴人（植村）が、金学順が「女子挺身隊」の名で戦場に強制連行され、日本人相手に売春行為を強いられたとする事実と異なる記事をあえて書いた」

地裁でも高裁でも、①と②は真実相当性が、③は真実だと認められたのです。

高裁判決の③に関する部分を紹介します。

「原告［植村・西岡補以下同］は、原告記事Ａ［1991年8月11日記事］において、意識的に、金学順を日本軍（又は日本の政府関係機関）により戦場に強制連行された従軍慰安婦として紹介したものと認めるのが相当である。すなわち、原告は、意図的に、事実と異なる原告記事Aを書いたことが認められ、裁判所認定摘示事実3［上記の争点③］は、その重要な部分について真実性の証明があるといえる」

私はこの記事が出てすぐ、朝日の社長と編集局長宛に訂正と謝罪を求める抗議文を送りましたが、返事さえ来ていません。だから、朝日は判決では真実性が認められていることを知っていながら、意図的に事実と違う記事を書いたのです。ここでもねつ造したということです。あきれてしまう。

　自分たちにとって都合の悪いことは嘘もつくし、報道もしない。そしてごく一部分の、自分たちにとって都合のいい杉田さんについて人権を侵(おか)したというものが出たら、その部分だけを針小棒大に報道する。じゃあ、なぜジュネーブでそれが起きたのかを報道しないのはフェアじゃないじゃないですか。

阿比留　しかも、そのときに朝日新聞は、本社が杉山審議官の発言について外務省に申し入れをしたという記事だけを書いた。外務省の杉山審議官が国連の女性差別撤廃委員会で慰安婦の強制連行説を否定していることについて、自分たちが批判されることは書かず、後になって自分たちが引用されたことについて申し入れを行ったってことだけを記事にしているんですね。だから、読者は何の申し入れをしたのかがわからないわけです。

西岡　根拠が最高裁の判決で出たんだから、そのときに謝れっていうんですよ。

阿比留　ひどい話ですよね。

西岡　単純にミスとかではなく、彼らは本当に日本を憎んでいる。ある面で革命を起こすためには軍隊を弱体化させなくてはならない、政権を弱体化させなければならない、そんなことをしているうちにソ連崩壊まで起こって、その後もそれを歴史の分野でやっている。

だから杉田さんのことを憎んでいるのは、まさに安倍さんと連携しながら歴史認識問題について果敢に戦ったからですよ。

阿比留　そうですね。

西岡　中川昭一さんとか安倍さんがずっと朝日新聞など左派メディアに叩かれ続けたのは、彼らが日本を弱体化するための反日活動と果敢に戦ったからですよね。

阿比留　世代的なことですが、いま国会前とかで座り込みとかをやっているのは、みんなおじいさん、全共闘世代。彼らは東京新聞を読んでいるわけです。彼らは本当に安倍さんのことを一から十まで否定してきた。世論調査でも、高齢者ほど反安倍だった。だから自分たちが学生運動をしたり、それを信じて戦ってきたりしたつもりの戦後民主主義とか、六〇年安保、七〇年安保の大義とか、そういうものが安倍さんによって全部壊されてしまった。だから、腹立たしかったんだと思うんですよね。

西岡　朝日新聞もそうでしょう。戦後のぬるま湯にどっぷり浸(つ)かって、その中で「マスコミの王は俺だ!」くらいな気持ちで偉そうに振る舞っていたら、どんどん外堀が埋まってしまった。そこで必死に抵抗した部分も、当然あるのだと思いますよね。でも、いまやメッキが剥(は)がれてしまった。

日本の名誉を守るために民間人の立場で戦ってきた

阿比留　高市早苗さんについては、どうですか。例の総務省文書事件があって、ＴＢＳはやはり高市さんに疑惑があるような印象操作をしているようでした。

西岡　二十年近く前、局は違いますが、テレビ朝日の「サンデープロジェクト」という番組で、司会者の田原総一朗氏が高市さんに食ってかかったこともありましたね。内容は靖国参拝についてでした。

阿比留　女性が靖国神社に行くことにイラっとするんでしょう。男尊女卑の世代の方々だし、上から目線でつい攻撃してしまう。口では「男女平等が当然だ」と言いながら、つい態度に出てしまう。

杉田さんの話に戻ると、杉田さんは様々な連中から裁判で訴えられた。代表的なのは大阪大学の牟田和恵教授ら四人から名誉毀損で訴えられた件ですけれど、杉田さんは牟田教授らが学術振興会の科研費で慰安婦性奴隷説に対する研究をしていると。政府見解と違う研究に多額の研究費が付いているということについて、インターネットで批判した。彼らは、それを名誉毀損と言い出した。

しかし、公金でやった研究の内容が、政府の見解と明らかに違っている。いま外務省のホームページでは、性奴隷説は間違っていると書いているわけです。けれど、それを批判する自由はあるはずだと主張して、研究をした以上、批判されることには耐えるべきです。今後、研究費を出すなとか言ったら問題ですけれど、中身がおかしいということについて研究者である以上、批判を受けるべきなのに……。彼女たちは、慰安所は、慰安所制度は、軍事性奴隷制とか主張した。慰安婦問題はＭｅＴｏｏだという動画を制作して公開している。批判されるのは当然のことです。

そのことについて杉田さんは民間人の立場で戦ってきた人で、その内容はおかしいというのは言論の自由の範囲の中どころか、日本の名誉が傷つけられているのだから、その問題に関心のある政治家だったら言うべきこと。安倍さんは二〇一六年の一月の参議院予算委員会で、慰安婦について事実に反する荒唐無稽な内容が世界に広まっていると、きっぱりと指摘した。

西岡　そのとき、安倍さんは明確に強制連行、性奴隷、二〇万人という、三つの慰安婦にかかわる主張が事実に反すると明言し、政府として対応すると明言した。本当にひどい誹謗中傷だ。そんなものが世界に広まっているから、政府として対処すると。政府の公金で荒唐無稽な内容が発信されていることを危惧したわけですね。まさに杉田さんは日本の名誉を守るために最前線で切り込んでいるわけですよ。だから反日の連中に、執拗に批判されるんですね。

阿比留　朝日の社説を少し言うと、杉田さんについて、性暴力対策などを議論する党の会合で「女性はいくらでも嘘をつける」と発言したり、「人権感覚が疑われる言動を再三、繰り返していた」と書いてある。けれど、この杉田さんの発言には前段があって、「元慰安婦の李容洙みたいな嘘つきのおばあさんたちがいて、こういう女性は……」という話だった。でも、それを全部省いて「女性はいくらでも嘘をつける」だけしか書かないわけです。朝日新聞は杉田さんに対する女性の反感を誘おうとしているわけです。本当に一から十まで徹頭徹尾、卑怯な連中なのですね。さらに杉田さんに対しては、もう一度「差別扇動者と決別せよ」という社説も書いて誹謗中傷し、自民党に排除を求めるなど粘着しています。

西岡　高市さんも、執拗に批判される大きな理由は安倍さんが推したからでしょう。靖国神社にずっと参拝し続けている。安倍さんが総裁選挙で推したと。マスコミには、安倍さんが推した人間は悪いという意識があるので叩かれる。それと、菅総理もマスコミの被害に遭っている。私は菅総理とは拉致問題のことで、何度も会いました。菅さんは一年間で仕事をものすごくやった。それでもマスコミの嫌がらせで支持率は下がっているけれど、国民はわかってくれるはずだと、自信を持っていた。「ワクチンだって一〇〇万本以上確保した。これは私がやったことだ」って。拉致の話が終わった後、雑談でそういう話をしていた。でも、菅総理は安倍政権の官房長官だった。マスコミは、安倍政権に連なる人は絶対に、無条件に批判する。「マスコミに仕事とか成果が通じると考えてはだめですよ。マスコミ対策を別途やったほうがいいですよ」と私は助言した記憶があります。

まさにあれだけ仕事をやった菅政権について、国民はコロナでイライラしていたり、飲みに行けないとか、いろいろあったかもしれませんけれど、そういう難局の場面でも、菅政権だからオリンピックもできたし、パンデミックも広がらないで一〇〇万回以上のワクチンも打てた。不妊治療も無料化したし、国民のためになることを十分、最優先でやった。それなのに、いい印象を持たれないようにする枠組みが、マスコミにつくられる。岸田政権が少し失敗しても、あまり批判されないのは、安倍さんとの距離があったからです。

阿比留　安倍さんのあの痛ましい事件が起こる前は、岸田政権はマスコミにちやほやされて支持率は高かった。けれど、岸田さんが国葬を決断し、さらに言えば、文藝評論家の小川榮太郎さんの表現を借りれば、安倍路線、特に金融、外交、安全保障、これを岸田さんは継承するどころか、さらにそれを拡大しているということを感じたマスコミが、それ以後、岸田政権を叩きはじめた。

西岡　そういう部分もなきにしもあらずだけれど、安倍さんが亡くなって復活する目が完全になくなったから、安心して叩けるのだと思いますね。安倍さんが生きていたら、岸田さんをあんまりこき下ろしたら、また安倍政権に戻ってしまうという恐怖があったんだと思いますよ。

阿比留　二〇二三年十月現在、岸田政権の支持率はだいたい三〇パーセント台。毎日新聞は一貫して低くて二五パーセント台。たぶん、低くなるような聞き方で調査をしているのでしょう。日本経済新聞はマスコミ各社の世論調査の比較記事を定期的に書いていますが、毎日新聞は参考にならないので外されています。

岸田総理は安倍路線を継承しているからマスコミに叩かれる

阿比留　岸田さんは安倍路線を金融、外交、安全保障で継承していると私は考えています。金融については、日銀総裁人事でそうでしたが、外交、安全保障とかについては、西岡さんはどう思われますか。

西岡　私は国葬のときの岸田総理の弔辞を聞いて、安倍さんの功績について史上最長の総理だって言われるのかなと思ったら、それを言わなかった。第一次政権のときの「戦後レジームからの脱却」を最初に言った。この人、わかっていると思いました。

阿比留　まあ、安倍さんに近い筋が書いたってことでしょう。金融のことでも、黒田さんほどはっきりはしてない。だけど人事については、安倍さんが敷いた路線から外れていないことは確かですね。仮に、人気が高いとされる石破茂さんとか河野太郎さんとか小泉進次郎さんなどが総理になっていたら、安倍路線を否定する政権になる。それが最悪だとすれば、岸田政権はそうではないことは確かですね。

ただ、自分の頭で日本の置かれている危機がなんなのか、何が必要なのかを安倍さんほど考えているかどうか。あるいは菅総理ほど自分の責任でこれをやらなくちゃいけないと思ったら、いくら批判されても最後までやり遂げる意思があるかどうかは未知数ですね。処理水の問題でも、菅総理が決断した。それを岸田さんはちゃんと守っている。これまで岸田さんがやってきたことは、安倍総理や菅総理が決断したことを、ぶれないでやっている。そのことは、日本にとっていいことだと思いますね。

西岡　岸田さんは、安倍路線でやっている部分は、うまくやっていると思います。残っている安倍路線の課題、憲法改正、皇統継承の安定化、拉致問題解決にも強い意欲を示している。けれど、独自のことをやろうとすると、失敗することが多いように見える。異次元の少子化対策もＬＧＢＴ法もよくわからないし、自分のカラーを出そうとすると、ちょっと失敗するなとは感じています。

阿比留　安倍さんの国葬の後に安倍路線が出てくると、マスコミは批判する。安倍政権が安保三文書で敵基地攻撃能力をもう少しやっていたら、大変でした。岸田さんがやると、そこまで騒がれなかったのは、ロシアによるウクライナ侵略もあり、中国や北朝鮮の脅威を国民が実感してきた部分もあるのでしょう。

西岡　安倍さんだったら、朝日新聞なんか連日、大騒ぎしていると思います。たぶん、国会にデモ隊ももっと来たのではないかと。

阿比留　安保三文書のときの「天声人語」で笑ったのは、国会前まで行ってきたけれど、デモ隊はいなかったみたいなことを寂しそうに書いていた。愚痴ですね。岸田さんの利点は、何をやりたいのか、何が本気なのかがわからない。スルスルーっと先にやっちゃう癖がある。

西岡　朝日新聞と安倍さんの話に戻ると、これは拉致が関わってきますが、安倍さんが官房副長官のとき、朝日新聞の拉致問題に関する社説に対して批判した。そうしたら、朝日新聞は名指しで、社説でまた安倍さんを批判した。朝日新聞はとにかく若手の保守派ということで、安倍さんのことをずっと叩いてきた。本当にずっとです。ところが、他の政治家と違って、安倍さんは反撃する。今はなきオピニオン誌『諸君！』（文藝春秋）の対談などで朝日新聞について「こびりついた捏造体質」などと、若手のときから言っていた。朝日新聞にしてみれば、潰したいのに潰れないし、憎くて仕方がない。

阿比留　普通は政治家って、自分の選挙区にも読者はいる。特に小選挙区だから、特定の新聞と戦争するのは、その新聞を攻撃するわけだから控えますよ。でも、安倍さんは若いときからずっと「朝日新聞は……」と言い続けてきた。

西岡　安倍さん自身が『諸君！』に文章を残しているのは、朝日新聞と戦うことは、朝日だけじゃなくてテレビ朝日などの系列局から他のマスコミから全部、敵に回すことだと言っている。なかなか普通の政治家は、それをやらないでしょう。

阿比留　安倍さんは親しい人たちに、「歴史問題とか日本の名誉に関わることは、政治家にとって票にならない。でも、幸い自分には強力な地盤があるので、そういうことを気にせず発言できる」と言っています。

西岡　今でこそマスコミ批判は当たり前で、むしろマスコミは悪口の対象になっていますけれど、安倍さんがそれを始めた頃は、マスコミに対する批判は少なかった。マスコミに対して政治家が批判することは、今よりずっとハードルが高かった。だから、安倍さんは、本当に最初から、戦う政治家だったと思いますね。

阿比留　自分で「政治家は戦う政治家と戦えない政治家がいる」と言っていました。第一次政権のときに「美しい日本」と掲げたのもそうだし、戦う政治家として突出していましたよね。

西岡　お亡くなりになった中川昭一さんも戦う政治家でした。

阿比留　ＮＨＫと朝日新聞の問題のとき、中川さんと安倍さんが狙われましたね。ＮＨＫに圧力なんてかけていないのに、ウソで叩かれた。二〇〇一年一月に放送されたＮＨＫの「戦争をどう裁くか（第二回）　問われる戦時性暴力」という、昭和天皇を人道に対する罪で有罪にした、ひどい番組でしたが、二人が番組内容を改変させたと朝日は書いた。私が二人からそれぞれ「朝日から変な取材を受けたが、どういうことだろうか」と電話で相談された翌日の紙面でした。ふつうに考えれば、当時は若手議員だった二人が、大ＮＨＫ幹部を呼び出して圧力をかけるなんて筋書き自体があり得ない。

西岡　結局、そのときも朝日新聞は嘘であるにもかかわらず、謝らなかったですよね。取材が足りないところがあったとか、そんな感じでごまかした。

阿比留　朝日新聞は結局、二〇一四年に慰安婦問題で検証記事を出さざるを得ないところにまで追い込まれて、そしてその検証記事も不十分だったとして、第三者委員会まで自分たちでつくった。当初、謝らなかったのに、結局社長が出てきて謝った。それは、安倍さんの勝利ですよ。

西岡　その第三者委員会も名ばかりで、朝日と親しい人ばかりを集めて、朝日のねつ造をかばう報告書を出した。だから、私たちは独立検証委員会をつくって、朝日のねつ造を暴いて批判しました。朝日新聞は安倍さんに一度も勝つことができないまま亡くなってしまったので、今でも悔しくて仕方がないのでしょう。

阿比留　朝日新聞には安倍さんの路線、特に歴史問題をやる人を叩こうとする習性が残っているんじゃないですか。岸田さんは歴史問題についての発言はない。韓国が変わったということもありますが、歴史認識問題はなくなった。歴史問題は外交問題ではなくなった。

西岡　第二次安倍政権で、官邸に歴史問題担当の部署をつくった。それがあるとないとでは全然、違うわけです。官邸に歴史問題担当の政治家の補佐官がいて、それが衛藤晟一補佐官。その後、木原稔補佐官が就いて、そしてやはり歴史担当の官僚チームとして副長官補がいた。次官級の外務省の高官が担当しました。兼原信克さんがずっとやっていたわけです。

安倍さんのやり方は、官邸のスタッフを決めたら人事で二年、三年では変えない。自分と一緒に最後までやるというスタッフに歴史認識問題を担当させた。それと、先ほど話したように、杉田さんたちの活躍もあって、国連に杉山審議官が行って、慰安婦問題の嘘に対してきちんと反論し、外務省のホームページで強制連行、性奴隷、二〇万人は間違っていると書くまでになった。日本語、英語、ドイツ語、韓国語、スペイン語、フランス語、イタリア語がある。

〈「強制連行」や「性奴隷」といった表現のほか、慰安婦の数を「20万人」または「数十万人」と表現するなど、史実に基づくとは言いがたい主張も見られる。これらの点に関する日本政府の立場は次のとおりである。

「強制連行」

これまでに日本政府が発見した資料の中には、軍や官憲によるいわゆる強制連行を直接示すような記述は見当たらなかった。

「性奴隷」

「性奴隷」という表現は、事実に反するので使用すべきでない。この点は２０１５年12月の日韓合意の際に韓国側とも確認しており、同合意においても一切使われていない。

慰安婦の数に関する「20万人」といった表現

「20万人という数字は、裏付けがない数字である。慰安婦の総数については、１９９３年8月４日の政府調査結果の報告書で述べられているとおり、発見された資料には慰安婦の総数を示すものはなく、また、これを確認させるに足りる資料もないので、慰安婦総数を確定することは困難である。〉

岸田政権では、佐渡金山のユネスコ世界遺産登録申請問題で、その一連の歴史問題についての体制を引き継ぐかどうか少し動揺したけれど、安倍さんはご存命だったから、「自信を持ってやればいい」と岸田さんにアドバイスした。そして、その体制が引き継がれた。

杉田さんが屈さないから余計憎いのでしょう。今はマスコミが弱くなったけれど、昔はもっと強かった。だから、政治家を屈服させて喜んでいたんじゃないですか。

今はネットでバレちゃいますから、インターネットはマスメディアのメッキが剥がれてきた大きな要因。一昔前だったら朝日新聞が報じれば、それが真実であるかのようになっていましたからね。

二〇一四年八月の朝日新聞の慰安婦検証記事も、安倍政権の真実究明活動と産経など他のマスコミとネット世論の批判が無視できなくなったからだった。朝日は二〇一四年八月五日付朝刊の第一面に、「慰安婦問題の本質直視を」と題する杉浦信之編集担当役員の署名記事を載せた。そこで次のように書いた。

〈慰安婦問題が政治問題化する中で、安倍政権は河野談話の作成過程を検証し、報告書を6月に発表しました。一部の論壇やネット上には、「慰安婦問題は朝日新聞の捏造だ」というといういわれなき批判が起きています。しかも、元慰安婦の記事を書いた元朝日新聞記者が名指しで中傷される事態になっています。読者の皆様からは「本当か」「なぜ反論しない」と問い合わせかが寄せられるようになりました〉

また、朝日が組織した第三者委員会の報告は、こう書いた。

〈政府による河野談話の見直しが実際に行われることになった場合には、改めて朝日新聞の過去の報道姿勢も問われることになるとの危機感が高まり、慰安婦問題についての本格的な検証を行わざるを得ないとの考えが経営幹部を含む社内において強まってきた。

また、他の報道機関も朝日新聞の慰安婦問題に対する報道姿勢などに批判を集中し、読者の中にもこれについて不信感を抱く者が増加して、お客様オフィスレポートでも慰安婦報道に対するネガティブな意見が広がり、これが販売部数や広告にも影響を見せ始めてきたことから、販売や広報の立場からも放置できないという意見が高まってきていた。〉（「第三者委員会報告」29頁）

産経やネットの批判に応えて、吉田清治は嘘ではないかとの検証をせざるを得なかった。そういうことは、今まではなかった。私は一九九二年から朝日の慰安婦報道の嘘を告発し続けていましたが、これまでは朝日新聞の読者は、朝日新聞しか読んでいなくて、そんな情報が入ってこなかったから。

朝日新聞は吉田清治について、その前の一九九七年に検証しようとして「真偽は確認できない」とだけ書いて、記事取り消しをしないで開き直った。一九九七年の特集記事「従軍慰安婦　消せない真実/政府や軍の関与、明白」で、吉田証言については「済州島の人たちからも、氏の著述を裏付ける証言は出ておらず、真偽は確認できない」と述べただけで、自らの過去の吉田証言報道に対して訂正・謝罪することは、一切しなかった。

阿比留　一九九七年に検証に行ったのは、植村隆記者ですよ。

〈一九九二年に歴史家の秦郁彦先生が現地で調査して吉田証言は嘘だという取材ができた。「奴隷狩り」「慰安婦狩り」をしたという吉田の証言を裏付ける事実は何一つないことを立証した〉（産経新聞　一九九二年四月三十日付）。

西岡　秦郁彦先生は韓国語が出来ない。その五年後の一九九七年に韓国語ができる植村記者が現地に行って、当時のまだ生きている人たちに取材ができなかったなんてあり得ない。相当できない記者か、本当に意図的にサボったか、そこも捏造だったのか、能力がなかったのか。

「次の総理にふさわしい人」調査の実態

西岡　「次の総理にふさわしい人」の調査、また石破さんがトップですよ。

阿比留　要は、知名度調査なんですよ。あるいは人気調査。

小泉人気って、ちやほやされる旬は過ぎている。でも、一般国民とっては、こういう調査は政治家の名前で覚えている人に入れる。その程度の認識しかないのでしょう。政治家は誰がどうだとか野党の党首は誰だとか、あんまり意識しないで生活している人のほうが多いのでしょうから。みんな日々の仕事に追われて忙しいですから。

西岡　でも石破さんって、そんなにメディアに露出していますかね。本はいっぱい出版されていますが。

阿比留　政治家生活が長いからでしょうね。河野太郎さんはSNSで発信力があることと、小泉さんは旬を過ぎたけれど一応お父さんの代から著名人だということ。あと、お兄さんもテレビに出ているし、聞かれたら名前がパッと頭に浮かぶんじゃないですか。

西岡　しかし、どうして菅さんの名前が出ないのでしょうか。不思議です。

阿比留　うち（産経新聞）の調査で菅さんは入りましたよ。うちの調査で一番多いのは石破茂が一三・五パーセント。二番目が河野太郎で一二・二。三番目は小泉進次郎で一〇・五。あとはぐっと下がって四番目に岸田文雄で七・八。高市早苗は六・四、菅義偉は五・四と続きます。

西岡　高市さんがいいという人は私の周りにもすごく多いけれど、残念ながら党内基盤の問題で今は見込めない。

阿比留　二年前の総裁選挙のときの、自民党員の中で高市さんを私の知人が推そうとして、電話作戦とかやった。でも、ほとんどの党員が、高市さんのことを知らないという状況でした。まして、この調査は自民党員の調査じゃなく、一般調査ですから、余計知られていない。そんなものです。

西岡　これも邪推ですけれど、要するにこういう調査でいつもこういう人の名前が並ぶのは、岸田下ろしではないか。メディアは、そういうことも平気でやる。

阿比留　やりますけれど、岸田さんになる前からずっと同じような結果です。特に岸田下ろしというわけではないでしょう。メディアも安倍さんは絶対に下ろしたかったでしょうけれど、岸田さんはそこまで真剣に下ろしたいとは思っていなかった。

西岡　安倍路線を継承しているとか、あと軍事費を二倍にするとか、朝日新聞からすれば、面白くないでしょう。だから、そういう意思も働いているのではないかと思いますけれどね。

阿比留　でも、防衛費を増やすことを世論調査すると、賛成がかなり多い。だから朝日新聞も無理に世論に逆らう気がないと思いますよ。

西岡　ウクライナの戦争がありましたからね。

阿比留　だから、原発もエネルギー危機があってやりやすい。国際状況が、岸田さんが安倍さんのやり残したことを継承するのに追い風となっています。

西岡　防衛費に関して言うと、岸田さんも口が滑ったのか、当初、「財源は税金」みたいなことを言いましたが、その後、撤回して延期しました。

阿比留　まだ何も増税していないのに、「ステルス増税」と批判されていますね。岸田さんは防衛費を増やすのはよくやったし、反撃能力を認めたのも、私は素晴らしいと評価します。一方で安倍さんとの決定的な違いは、安倍さんは定期的に現場の将官クラスの人などと会っていた。陸将とか統幕長、その他からしょっちゅう報告を受けていた。あるいは彼らと意見交換していました。でも岸田さんの首相動静を見ても、そのあたりの動きは全然ない。形としては安倍路線を継承しているつもりだろうけれど、本当は、問題意識のありようは違うのだろうなと思います。

西岡　木原稔さんを防衛大臣にしたのは良かった。木原稔さんを防衛大臣にしたのは、台湾シフトでしょうね。

阿比留　それは明白ですね。

西岡　それと親中派の林さんを変えたことでしょう。今のタイミングで親中派ではだめだという人事でした。

阿比留　親中派の林さんを外務大臣から外して、親台派で有名な木原さんを防衛大臣にしたのは注目でした。そして、上川外務大臣は、今のところいいのではないかと。アメリカとのパイプもあるし、大変な韓国好きという部分は、今の政権であればそれほど問題にならない。

西岡　上川さんは、そんなに韓国が好きなんですか。

阿比留　文在寅政権のときに、あまりに韓国好きで周囲が困った。彼女は韓流ドラマが非常にお好きなようです。

第三章 「戦後最悪」だった 日韓関係は良化するか

今の尹政権は第一次安倍政権に似ている

西岡 文在寅政権時代、トランプと金正恩は二回、シンガポールとハノイで首脳会談をした。シンガポール会談のとき、実はトランプ大統領は板門店で会いたがった。文在寅がその直前に板門店で金正恩と会談して、注目を集めたからだったようです。その後、トランプが訪韓したとき、ツイッターで「俺は板門店に行くぞ、来い」と言ったら、金正恩がすぐ出てきたでしょう。そのときに文在寅も三人で会わせてくれと、板門店に出掛けて行くんです。

阿比留 でも、入口で拒否されちゃった（笑）。あれは不思議だった。ああいう映像が露骨に流れているのに、なんで文在寅の支持率が下がらないのかなと思っていました。

西岡 日本に反日の人が一定数いるように、韓国には反韓の歴史観に固まっている人たちが三五パーセントとか四〇パーセントぐらいいる。ソ連など社会主義圏が崩れ、北朝鮮で人民が三〇〇万人も死亡した実態が明らかになっても、その人たちは、常に北を支持し、文在寅を支持するわけです。

本当に観念論に凝り固まると、目が見えなくなる。日本の安倍ガーの人もそうですけれど、安倍政権のときに就職率が増えて、雇用が増えてとかいろいろ言っても、「それはまやかしだ！」と騒がしくなる。民主党政権のときのほうがよかったとか。全部、ウソ。

阿比留　よくいろんなところで引用されますが、第二次安倍政権時代の支持率は世代によって明白で、二〇代、三〇代はものすごく高い。四〇代で半々ぐらい、五〇代、六〇代になると安倍政権支持はかなり低くなる。

西岡　韓国は逆で、一番上の朝鮮戦争を経験したような人たちが保守。四〇代、五〇代ぐらいの反韓の歴史観で学んだ人たちが左です。問題は二〇代、三〇代をどっちが取るか。そこで尹大統領が大統領選挙で〇・七パーセントの差で勝ったのは、二〇代、三〇代で歴代保守候補の中でも初めて約半分の得票率を記録したからです。これまでの保守候補は、ずっと二〇代、三〇代では負けていた。今回は、特に二〇代、三〇代の男性では、尹錫悦候補が勝った。韓国の地上波テレビ三社が合同で実施した出口調査によると、二〇代男性の五九パーセント、三〇代男性も五三パーセントが、それぞれ尹に投票した。

韓国には激しいフェミニズムがあって、それに対して男の反発が強い。その男の反発をうまく利用したのが李俊錫という、当時三〇代の野党の代表だったんです。討論でフェミニズムの活動家と激しくやりとりして、彼は反フェミニズムの英雄になったわけです。その李が尹錫悦候補の公約をつくって、「もう今は女性のためだけの政策は必要ない」「男女両方についてやるべきだ」とし、女性家族部という役所があったのですが、それを廃止すると約束した。それから、一部の若い男性の中に「徴兵は男性差別だから、差別を撤廃するために女性も徴兵すればいいじゃないか」という議論があった。「徴兵に行って勉学を休まなければならないので、除隊後、大学に戻って就職試験を受けると、徴兵がない女子学生に点数で負けてしまう」という不満があった。でも徴兵廃止はできないから、徴兵された兵士の月給を大幅に引き上げて、月二〇〇万ウォンにすると公約した。それで二〇代、三〇代の男性が多数、尹錫悦に投票した。そのおかげで、わずか〇・七パーセントの差で尹錫悦は当選できた。

でも今は、尹は「李は先輩政治家を敬わない。大統領である自分に対しても堂々と異なる意見を口にし、服従しない」などの理由で、その李俊錫を党で処分して代表を止めさせた。そのうえ、公約だった女性家族部解体は実現していないし、徴兵者の月給も、「職業軍人の待遇とのバランスがとれない」などの理由で、約束したほど上がっていない。だから、若者の支持が離れた。

安倍政権のように経済が良くて、若者の就職率が良ければ支持が上がるけれど、経済が悪いから大卒者が就職できない。だから今、完全に若者の支持が尹錫悦大統領からも離れてしまった。

阿比留 文在寅政権のときのほうが、経済は悪くないですか。

西岡 悪いけれど、ものすごくばら撒いた。コロナだってことで、現金をどんどんばら撒きました。韓国はみんな国民基礎番号がついているから、口座が把握されている。それで、選挙の前日あたりに現金がドバっと入った。

阿比留 日本はまだそれができなくて、国民全員に送金するための手数料のほうが高いみたいな状態。今の尹政権は、第一次安倍政権に似ているなと思います。理念が先行していて、理念を支持する支持者もいる。しかし第一次安倍政権のときは若者からも安倍批判があったし、経済が良くなったという実感がないから、若者がついてきていなかった。でも、第二次安倍政権でアベノミクスをやったことで、安定した政権づくりができた。

西岡 第二次安倍政権になったときは、第一次政権の反省から、やりたいことをやるためには、まず国民についてきてもらわなければならないという発想があった。だからまず、景気を少しでも良くするというところを一番に掲げた。第二次政権になって私が驚いたのは、第一次政権のときにまったく言っていなかった「強い経済は国力だ」という言い回しを、菅さんも含めてみんなが使った。そのように、みんなで決めたんだなと思いました。

阿比留　アベノミクスのことをおっしゃっていたのですね。アベノミクスという言葉が生まれたのは第二次政権からですね。私も聞いた話では安倍さんは第一次政権を下りた後、すごく勉強した。時間があったから、元内閣官房参与の髙橋洋一さんにいろいろレクチャーしてもらったらしい。髙橋洋一さんがたびたび振り返っていますけれど、政治家だから勘がいいというか、ものすごく飲み込みは早く、しかも今まで接した政治家の中でも、経済に関しては安倍さんが一番、理解が深かったと言っていますね。

第二次政権のときは、髙橋洋一さんはブレーンから下りているけれど、それでもちょこちょこ会っていて、そのときに例えば「金融緩和をすると株価が上がりますよ」と伝えると、それにビビビッと来て株価についてすごく敏感になったとか、ちょくちょく電話もかかってきたらしくて、「国会答弁で、こういうふうに答えちゃっていいよね？」という内容だったとか、そういう話は聞きました。

西岡　髙橋さんだけでなく、第二次政権前半、内閣官房参与として官邸で安倍さんを支えた本田悦朗元スイス大使など、何人かの経済ブレーンがいました。

阿比留　日銀とか財務省の人も、政策の方向性に好き嫌いはあっても安倍さんはよくわかっていたと言っています。つまり、政策的な意見は違っても、安倍さんはちゃんと相手を把握していたということ。地頭が良かったんでしょう。これも髙橋洋一さんから聞いたことだけれど、要するに金融緩和の重要性とか、アベノミクスの土台の話をしたとき、「ただ安倍先生、これは海外だと、どちらかというとリベラルな政策ですよ。それで問題ないのでしょうか？」と訊いたら、安倍さんは「政策にリベラルも保守も関係ない」と言ったそうです。すごく柔軟だったんですね。

全体主義とリベラルは重なってくる

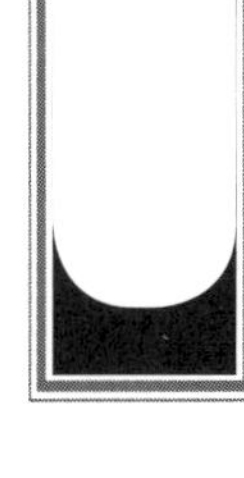

阿比留　その一方で、私が安倍さんと話したとき、私が「これからはリベラル全体主義との戦いですね」と言うと、安倍さんは「そうだ」と大きく頷いていました。

西岡　いま、全体主義とリベラルは重なっている。先進国でリベラルを名乗る人々は、実は全体主義に近い。全体主義であり反国家主義です。日本では反日で、韓国では反韓で、アメリカでは反米です。それは歴史観から来ている。反米歴史観、反韓歴史観、反日歴史観、英国では反英歴史観、そういうものが広がった。

一方、全体主義国家では超国家主義、今は中国共産党がまさにそうじゃないですか。本当は、リベラルの敵は全体主義のはず、目の前の中国共産党こそが批判の対象であるべきなのに、「多様性」とか言いながら健全な国家主義、つまり自国を否定しようとしているから、全体主義と重なってくるわけです。でも、それは、中国、北朝鮮、イラン、ロシアなど、さまざまなファシズム化した全体主義独裁国家を利するだけなのですね。

そのような最近のリベラルについて、文化マルクス主義という言い方をします。マルクス主義って階級論が肝ですが、文化マルクス主義には階級論がない。彼ら、彼女らが「日本が悪い」と言うときは、「資本家が悪いのではなく、日本民族全体が悪い」とする。資本主義が成功して経済成長が達成され、労働者も農民も皆、豊かになった。もう「搾取されている労働者階級よ、資本家を打倒するために立ち上がれ！」と扇動しても、誰も呼応しない。そこで、「もっと下のルンペン階級が革命の主体だ」と言い出した。「日本では、アイヌとか沖縄とか被差別部落とか在日朝鮮人こそが革命の主体だ」と言うわけじゃないですか。米国のシカゴ学派とか、みんな同じですよ。マルクス・レーニン主義の言う階級論に立って、「世界の労働者よ、団結せよ！ 資本家を倒せ！」というのは、もう通じなくなっている。だから少数者の視点になって、そこにＬＧＢＴも入ってくるし、沖縄もアイヌも全部入ってくる。そのカギは歴史問題ですね。

阿比留 歴史問題は、つまり社会とか秩序とか国家とかを壊すための道具になっているということ。

その向こうに何を見ているか、あまりよくわからない。でも、中国共産党などを否定しないところを見ると、全体主義独裁国家のことはいいと思っている。

先ほど名前を挙げた金平茂紀氏が、なぜ重信房子氏に共感を覚えているのか。秩序とか社会を壊したいのでしょうが、その後に何が起こるかわかっているのでしょうか。

西岡 反国家主義者、反日主義者のテキストの一つは、一九六五年に朴慶植という在日朝鮮人学者が出した『在日朝鮮人強制連行の記録』です。著者の朴は、朝鮮総連が運営する朝鮮大学校の教師だった。七〇年代に三菱重工などが爆弾テロに遭いましたが、犯人は「反日武装戦線」と名乗った。つまり、階級論でなく日本国全体を朝鮮侵略、アジア侵略の犯罪国家と位置づけ、強制連行した朝鮮人を奴隷労働させた日本企業を処罰するという妄想を抱いて、爆弾テロを行った。たとえば爆破する企業を選ぶときに、朝鮮人を使った企業がリストに上がる。すさまじい搾取をやったんだと、抑圧をやったと、それも階級じゃなくて民族でやったと。だから反日武装戦線だ、となる。そういう思考で反日になるんです。その考えは、当時は少数者だったけれど、今は近現代史の歴史関係の学会の主流が、そういう人たちになっちゃった。

阿比留　安倍さんが生きているときに言っていたのは、トランプ大統領がアメリカの社会対立を生んだと言われているけれど、そうではないと。オバマ時代の八年間、オバマたちのリベラルがアメリカの中で分断を生み、その分断がトランプを生んだのだと。オバマ時代はMerry Christmasが言えなくなった。

西岡　あと、Ladies and Gentlemenもね。つまり、Merryは、少数派の仏教者や無神論者に対する抑圧になるという考えです。でも、アメリカ社会の伝統はキリスト教。多数者は配慮しなくていいのかとなる。だからトランプ大統領は「Merry Christmasと言って何が悪いんだ」と言った。

阿比留　だから、リベラルの抑圧により、思ったこととか、本当に言いたいことを言えなくなった人たちがトランプに賭けたという構図。LGBTもそうですが、日本はそういう米国が痛い目に遭ったことを遅れてどんどん導入しようとする。

西岡 歴史問題に関しては安倍さんとも一緒に戦ってきました。反日史観の元凶である慰安婦問題では、朝日新聞にも一応勝ちました。

アメリカに対して、われわれはそれを誇れるけれど、ニューヨーク・タイムズが今、反米史観を煽っています。二〇一九年にニューヨーク・タイムズは、「一六一九年プロジェクト」という大型企画を行った。一六一九年に、最初の奴隷船がアフリカから二十数人の黒人奴隷を連れてきた。翌年の一六二〇年には、英国で迫害された清教徒がメイフラワー号に乗って到着した。従来のアメリカの歴史は、一六二〇年の歴史を起点に描かれてきました。「一六一九年プロジェクト」は、白人中心の一六二〇年ではなく、その一年前の一六一九年をアメリカの起点とすべきだと主張する。黒人奴隷の歴史がアメリカの歴史の典型であり、現在のアメリカ社会は世界で最も差別と経済格差がひどい国だ、ということになる。

阿比留 トランプ登場とともに、アメリカのマスメディアはちょっとおかしくなっている。

西岡 メディアがリベラルだからです。トランプを肯定的に評価したら、差別者だと思われる。インテリにはそういう思考があって、トランプは異常だみたいなことを言うじゃないですか。ではMerry Christmasって言いましょうよ、というのが異常なのかと。インテリは「差別」という言葉に弱い。

阿比留 オバマは自分の出身のことも含めて、リベラルを推奨したわけですか。

西岡 それが売りだった。初めての黒人大統領だということを売りにした。

阿比留 安倍さんは、「トランプがあまり歴史認識に関心がなかったから、それは良かった」という話はしていました。要は、オバマのときに韓国との付き合い方から歴史問題、慰安婦などについて、表に出てないけれど相当ガンガンやったらしい。「あれをまた一からやるのかと思うと、面倒くさかった」という趣旨のことを言っていました。

西岡 でも、安倍さんは中国の脅威問題とか、あと北朝鮮の拉致問題に関しても熱心にブリーフした。トランプはそれに聞き入って、それからトランプがいい意味で安倍さんに感化された。いろんな国際会議の場でも、「シンゾーはどう思う?」などと、各国のリーダーの前で安倍さんを頼りにしている光景もあった。

阿比留 それは、いくらでもありました。先進国七カ国首脳会議（G7）の場で「シンゾーには従う」とまで言っていた。

西岡 先ほどのトランプが金正恩とどこで会うかというとき、外務省の高官から聞いた話だと、金正恩は文在寅と板門店で会ったから、トランプはとにかく板門店で会いたいと、ホワイトハウスのスタッフの言うことを聞かないんだそうです。ホワイトハウスは東京に連絡して、「安倍さんからトランプを説得してほしい。あんな場所では暗号がかかるような無線ができないので、安全が保障できない」と頼んだそうです。安倍さんがトランプに電話したら「わかった」と言って、それでシンガポールになったという経緯を聞きました。

阿比留 それはよくあるパターンで、アメリカ国務省は安倍さんとトランプが会ったり電話会談したりする前には、必ず首相官邸に連絡してくる。安倍さんに「トランプにこう言ってもらえないか」と頼む。トランプはスタッフの言うことは聞かないが、安倍さんの言うことなら聞くからです。

西岡 安倍さんとトランプは自然にケミストリー(相性)が合ったのではなくて、トランプをそこまでにしてしまった安倍さんの日本の国益を考えた努力があったわけですね。

阿比留 安倍さんは決して、トランプのことが得意だったわけではないと思います。

西岡 でも、猛獣使いではあったんですね(笑)。

阿比留 金正恩だって安倍さんだったら、取引できたかもしれない。習近平だって、安倍さんにかなり心を開いていましたからね。また一方で、安倍さんは習近平に対して「私の島に手を出すな」「日本の覚悟を見誤らないほうがいい」などと、毅然とした姿勢を示していた。

尹錫悦が「日米韓で結束するしかない」と決断した背景

阿比留　日韓関係は、文在寅のときは「戦後最悪」と言われたけれど、それが見事にひっくり返った。文大統領と尹大統領とのパーソナリティーの違いですかね。

西岡　パーソナリティーというより、韓国は政治的に内戦状態。その背景に歴史戦がある。そこに反日がぴたっとはまっていたわけです。文在寅、李在明に代表される勢力は、反日だけではなくて反韓でもある。反大韓民国。

阿比留　彼らは北朝鮮へのシンパシーがすごくありましたね。

西岡　文在寅、李在明に代表される勢力は、親北あるいは北朝鮮に従属していると言う意味の従北。イデオロギー的に北がいいっていうだけじゃなく、歴史認識においても北を支持している。それは一九八〇年代に韓国で広まり、特に学生たちに広まった歴史観ですけれど、北朝鮮の工作もそこにはかなり入っていた。それまでは、北朝鮮の工作は、「マルクス・レーニン主義が優れている。搾取されている資本家を倒せ」と言っていたけれど、七〇年代になって南北の経済が逆転し、韓国のほうが豊かになってしまったわけです。逆に北朝鮮は貧しい。搾取されているほうが豊かになると、それまでの論理が通じないわけですね。

そこで、政治工作に階級論ではなく、民族主義を使った。韓国は建国直後に、日本統治に協力した親日派が処分されず、むしろ親日派が支配層になり、アメリカの軍隊や日本の資本が入ってきて、見せかけは繁栄しているように見えるけれど、民族主義の立場からすると汚れてしまっている。一方、北朝鮮は独立運動を戦った英雄の金日成が帰ってきて、国をつくり、アメリカと戦って負けず、ソ連軍も中共軍もいない。民族の正当性は北にありという歴史観が一九八〇年代に広まったわけです。『解放前後史の認識』というシリーズがあって、韓国の大学生で読んでいない人がいないぐらいのベストセラーになっている。八〇年代の全斗煥政権時代に禁書になったけれど、それでもみんな読んでいて、その多大なる影響力により今話した歴史観が急拡大しました。

そういう状況のなかで、尹錫悦が本当に歴史戦を戦う準備ができているかどうか。私は難しいんじゃないかと思ったけれど、そうじゃなかった。最近になって尹錫悦が「これは歴史戦争だ」と言っている。また、「韓国の中に左右両派がいてもいいけれども、反国家勢力は許せない。人権派や民主活動家に偽装した反国家勢力が国にいる」とも。

二〇二三年八月十五日の演説で、「共産全体主義に盲従し、操作扇動で世論を歪曲し、社会をかく乱する反国家勢力が依然として横行しています。（略）共産全体主義勢力は常に民主主義運動家、人権運動家、革新主義活動家に偽装し、虚偽の扇動と野卑で人倫に外れた工作を行ってきました。われわれは、このような共産全体主義勢力、その盲従勢力、追従勢力に決してだまされたり屈服したりしてはなりません」と語り、事実上、「文在寅一派は反国家勢力だ」と明言した。そこまで踏み込んだから、左派は徹底的に批判する。

韓国の左派野党の国会議員が「サッカーのアジア大会で、韓国が日本に勝った。今度は来年四月の総選挙も韓日戦で勝とう！」と言ったそうです。つまり、尹錫悦は親日派だから日本代表、自分たちは韓国代表ということです。

二〇二〇年四月の総選挙でも左派は、「これは韓日戦だ」と言った。二〇二四年の総選挙でも、左派野党は同じ反日キャンペーンで尹錫悦政権を攻撃するでしょう。そういうイデオロギー論争、北朝鮮との保守派の戦い、その後ろにある歴史戦を見ないと、韓国のことがわからない。そんななか、尹錫悦が北の核の圧力がある以上、日米韓で結束するしかないと決断して、日韓関係を良くしたということです。

朴正煕の主張は正しかった

阿比留 北の歴史の正当性にしても、金日成なんて何人もいた。満州から朝鮮北部にかけて金日成を名乗る匪賊(ひぞく)がたくさんいて、私、大本営陸軍部作戦参謀だった瀬島龍三さんから聞きましたけれど、瀬島さんも若い頃いた部隊で、満州国東部白頭系の密林で、ある金日成軍と銃撃戦をやったと言っていました。

西岡 金日成は一九四五年九月、ソ連軍の軍艦で北に帰ってきて、一九四五年十月に、平壌でソ連解放軍歓迎平壌市市民大会があり、そこで初めて姿を現した。金日成将軍歓迎集会ですね。そこに出た老共産党の幹部たちが「若過ぎる。おかしいじゃないか」となった。結局、「伝説の金日成将軍とは違う」と言い出した人は、みんな粛清された。金日成というのはある面で一代目、二代目とあって、それぞれ伝説の英雄・金日成を名乗った。今、金日成と呼ばれている男も一時期、金日成を名乗っていましたが、でも満州で中国共産党軍の下に入った隊長で、満州にいられなくなってソ連共産党軍に入った。だから、本当は民族主義ではない。当時、共産主義者は民族より階級が上だから、中国にいたら中国共産党に入る。ソ連に行ったら、ソ連共産党に入る。そういうことです。

阿比留 戦後も一九五五年までは、在日朝鮮人は日本共産党員でしたしね。だけど、金日成がお前たちの使命は日本革命じゃない、朝鮮革命だと言って、朝鮮総連をつくった。それが一九五五年。それ以前は、日本共産党員だった。だから、共産党が火炎瓶闘争とかやったじゃないですか。

西岡 共産党の火炎瓶闘争は、かなりの数、朝鮮人がやっている。インターナショナルでした。けれど、いま北朝鮮は嘘をついて、抗日のためにやったと言っている。民族主義でやったと言っているわけです。でも、その嘘に一九八〇年代の韓国の若者はみんなコロッと騙された。その若者たちが、文在寅政権時代の幹部ですね。

阿比留 朴正熙政権は正直に、「わが朝鮮の歴史は停滞の5000年だ」と憤っていた。歴史コンプレックスがあったんでしょうね。

西岡 朴正熙は両班（李氏朝鮮王朝時代の官僚機構・支配機構を担った支配階級の身分）が大嫌いだった。朴正熙が書いたものと、日本の学者による戦前の朝鮮研究がほとんど同じ内容だった。両班が駄目で、朝鮮王朝は腐敗していたと。だから、当時の日本の学者は、「朝鮮人をやめて日本人になりなさい」と言ったけれど、朴正熙は「民族を改造する。朝鮮人のままで近代化をする」と主張した。結局、韓国は経済発展して世界自由圏に入りましたから、朴正熙の主張は正しかった。

韓国国民の安全をどう守るのかを考えている尹大統領

西岡 日韓が朝鮮人戦時労働者問題を解決した。私は岸田政権のやったことを評価しています。謝罪しないで歴史問題を解決したのは、歴代政権で初めてだからです。韓国最高裁の国際法違反判決によって日本企業の財産が差し押さえされていましたが、尹政権がそれを肩代わりする枠組みをつくったわけです。日本は、とにかくこれは韓国内の問題だから外交問題にはしないとした。「あなたたちが解決策つくってくれ。協議はしない」と言って、韓国側がその枠組みをつくった。まず「協議しない」という日本の主張は通った。

それから、国内世論があるから、色をつけて日本の企業がその財団に出資してくれとか、日本政府がその財団に出資してくれとかという話も、すべて断った。最後に、道義的なことでいいから謝罪してくれ、過去の謝罪を確認してくれという要求も断った。そのうえで、「歴史認識に関する歴代内閣の立場を全体として引き継いでいることを確認した」と言った。引き継いだ過去の立場には、もちろん村山談話も入るけれど、安倍談話も入る。「もう謝らない」という安倍談話も入る。慰安婦についての強制連行がなかったという外務省の立場も全部入っている。岸田政権は「謝罪」という言葉を使わなかった。

阿比留　それは立派なことです。

西岡　マスコミは外務省の悪口ばかり言っているけれど、今回、外務省は、毅然(きぜん)とした姿勢を貫いて頑張った。「(植民地支配など)百年前の出来事のために(両国間で)何もできず、彼らが(謝罪で)ひざまずくべきだという考え方には同意できない」「韓国社会には、排他的民族主義と反日を叫びながら政治的利益を得ようとする勢力が厳然と存在する」とまで尹大統領が言った。だから、親日派だと激しく叩かれているけれど、親日派だと叩かれることを恐れず、日本に「なんとかしてくれ」と懇願せず、国内の反国家勢力が歴史問題を利用していると問題提起をして、反韓左派と正面から立ち向かう戦いに今、尹大統領が入った。ただ、孤立しています。

阿比留 そうですか。その路線が続くかどうかは、今後はわからないわけですね。

西岡 二〇二四年四月の総選挙で大負けして野党に三〇〇議席中二〇〇議席以上とられたら、また弾劾（だんがい）されるかもしれない。そこまでの大敗でなくても、過半数をとれなければ、レームダック化が始まる。次期政権が左派に戻れば、歴史問題がまた蒸し返される危険が大きいでしょう。

阿比留 小渕・金大中宣言（日韓共同宣言）のとき、小渕さんは「これで最後か、これで最後か」と相当、外務省に詰め寄っていた。でも、なかなか最後にならなかった。

慰安婦合意だって、「不可逆的」と言いながら、日本政府が一〇億円を拠出した財団を解散しちゃうわけですから。

当時、安倍さんが怒り心頭になって、「もう、あの国は放っておこう」「戦略的放置でいい」と言っていた。「中国の主張、発言には戦略的なものがあるけれども、韓国はただのヒステリーだ」と憤ったことが何度もあった。

西岡 尹大統領の判断には、戦略的思考があるのでしょう。北朝鮮が核を持ち、ミサイルをどんどん開発している、だから韓国国民の安全をどう守るのかを考えている。

阿比留 文在寅は、軍だけでなく、情報機関から何から、全部要らないみたいな感じでした。

西岡　要らないどころか、その情報機関に北のスパイを入れていましたから。最初の国家情報院院長の徐薫というのは、北朝鮮に包摂（ほうせつ）されたと噂が絶えなかった人です。だから、彼が国情院長をやって、その後、国家安保室長になったけれど、北とホットライン電話があったのではないかという疑惑があった。自衛隊機への火器管制レーダー照射事件のときは、そのホットラインで木造船に乗っていた金正恩暗殺に加担したと思われる人間を捕まえてくれと頼まれて、海軍が行ったという情報もある。

その次の国情院長は朴智元といって、金大中政権時代、金大中が平壌に行くとき、四億五〇〇〇万ドルの現金を裏で金正日に送金した。これは確定判決に明記されている。その罪で、彼は刑務所に行った。文在寅は過去に、裏で北朝鮮に金を送って有罪になった人間を国情院長に持ってきた。北朝鮮と何とか話し合いを復活したいと。スパイを捕まえる機関のトップに、スパイの疑いのある二人を持ってきた。

阿比留　安倍さんがトランプから聞いた話では、トランプが金正恩と会ったとき、金正恩は文在寅のことをバカにしていたとのことでした。

西岡　あんなに北に仕えていたのに（笑）。

阿比留　ものすごくラブコールを送っていた印象がありますね。

在韓米軍基地の撤退がなくなったのは喜ばしい

阿比留　キャンプデービッドにおける日米韓首脳会談の成功、それは、直近では中東での紛争に際し、韓国軍用機が日本人を乗せて救出してくれた。それに対するお返しを日本もしたわけです。何を言いたいかというと、マスコミは報じないけれど、日韓関係は劇的に改善している。私は非常に良いことだと思います。韓国が北につくか日米につくかで、安全保障面での日本の負担が大きく変わるからです。少なくとも安倍さんのときには「戦後最悪」と言われていて、菅さんのときも変わらなかった。

西岡　再度言いますが、岸田政権が今回やった日韓関係改善については、私も高く評価しています。今までは相手を慮って、「法的には責任はないけれど、人道的あるいは道義的な責任がある」と謝罪し、お金も払ってきたが、何度も蒸し返されて上手くいかなかった。今回はお金も払わない、謝罪もしないということを貫いて、尹大統領は国内を説得した。岸田政権は、よくやったと思いますね。

日韓関係が最悪だったのは、韓国側が国際法違反の最高裁の判決を出して、それについて韓国国内で手当てをせずに日本の企業の私有財産まで差し押さえするという異常事態が起きたからです。自分たちが原因をつくっておきながら、文在寅大統領は「日本に負けない」と反日キャンペーンを展開した。

二〇二〇年四月の総選挙では、文在寅大統領側は「韓日戦争だ！」と叫んで、当時の保守野党は親日派だと断罪した。それが成功して、文在寅政権の与党が大勝した。先にも言いましたが、二〇二四年四月の総選挙で左派野党は同じように、日本に謝罪と賠償を求めない尹政権は親日売国奴政権だとして、与党を叩くでしょう。韓国国民がそれに再び迎合するのか、韓国人の教養が問われていると思いますね。

阿比留　例の戦時朝鮮人労働者問題は、元々は韓国側も今回の最高裁判決のようなものが出るのは異常だと思っていた。七、八年前に、私が韓国に行ったとき、後に文政権で外務事務次官になる日本の専門家と相当長い時間、話をしました。

そのときも彼はまさかそんなおかしな確定判決は出せないだろうと、彼自身が言っていた。つまり、国際法とか、いろんな法律をわかっている人間なら、韓国側でも、まさか出るとは思わないような判決が出てしまった。したがって、今回の件を突っぱねるのは、よく突っぱねたなとは思いますけれども、当たり前すぎるぐらい当たり前なラインでもあるとも言えます。日韓関係がよくなっていくことは、それは当然、歓迎します。でも、「文在寅政権は、本音では米軍基地を撤退させたいのだと思う」と安倍さんは言っていました。

東アジアの安全保障問題を専門とするローレス元米国防副次官は、こう予言する論文を書いていました。

「米韓同盟は、二〇三〇年までには終焉を迎えることになるだろう」

「南北の朝鮮人は、米国が韓国との安全保障の枠組みから手を引けば、結束してこれまで以上に、日本に対するあからさまな強硬姿勢を示すことになる」

西岡　「数年内に米軍は韓国の米軍基地の撤退に向かうだろう。そのときに日本はどうするか」という話で、要は三八度線が対馬海峡まで下りてくると、それが非常に現実味を帯びて語られていた時期があった。とりあえず、今の尹政権ではそれがなくなったことは歓迎しますね。本当によかった。

阿比留　一方で、岸田さんのやり方で不満が残るのは、やっぱりレーダー照射事件ですね。これについては不問に付している。

西岡　日韓関係改善を積極的に進める韓国の尹錫悦政権も、レーダー照射の事実はなく、自衛隊機が危険な近接飛行をしたという、文在寅前政権の立場を維持している。二月十六日に発表された尹政権初の「国防白書2022」でも「日本側は、二〇一八年十二月救助活動中だった我が国艦艇に対する日本哨戒機の近接危険飛行を正常な飛行だと主張し、我が国艦艇が追跡レーダーを照射しなかったことを数回確認したにもかかわらず、事実確認なしに一方的に照射があったと発表」（174ページ）したと明記した。

だから、やはり日韓が防衛協力を進めるためには韓国側が最低限レーダー照射があったことを認めることだと、岸田首相は尹錫悦大統領に言うべきでしたね。それなのに、日本側で国防の責任者である浜田靖一防衛相（当時）と海上自衛隊トップの酒井良海上幕僚長が、韓国海軍駆逐艦による海自哨戒機への火器管制レーダー照射問題を事実上棚上げにして日韓防衛協力を進めた。

浜田防衛相は二〇二三年六月四日にシンガポールで行われた李鐘燮韓国国防相との会談で、同問題を棚上げにして再発防止のための実務協議を行うことで合意した。そのうえ、酒井海幕長は六月六日の記者会見で「事実関係の追及より今後の連携体制を早期に確立することのほうがより重要だ」との見解を示した。なぜ、言うべきことを言わないのか。

岸田総理は広島出身ということを強調しすぎ

西岡 一方、岸田政権が韓国をホワイト国に再指定したのは、ある意味テクニカルなことで、問題はない。韓国が半導体の素材について、大きな財閥ではなかったようなのですが、日本から輸入したものをテロを行う可能性がある国に転売していた疑いがあった。そして、そのような転売を防止するために当局者が緊密に協議することになっていましたが、文在寅政権下で韓国がそれにずっと応じなかった。朝鮮人戦時労働者問題で国際法違反の判決が出たのに、文在寅政権がそれを放置していることで韓国政府への信頼もなくなった。それらを理由にして安倍政権は韓国に与えていた優遇措置、ホワイト国指定を取り消した。ホワイト国となると、危険な転売などの疑いがないと認めて年に一回書類を出せば、貿易するたびに書類を出さなくてもいいという仕組みなんですね。別に輸出制限じゃない。たとえば、台湾もホワイト国ではない。ホワイト国でなくなると、輸出するときに一件一件、書類を提出する義務が生まれる。もちろん、それでも輸出は出来る。

誰が見ても、当時の文在寅政権下の韓国はホワイト国の資格はなかった。タイミングとしては文在寅大統領がG20で、大阪に来る直前に安倍政権がかなり譲歩して、日韓請求権協定の中に「協定の解釈及び実施に関する紛争は外交で解決し、解決しない場合は仲裁委員会の決定に服する」と書いてあるから、その手続きに入ろうと文在寅政権に提案した。それも拒否されたので、輸出優遇装置であるホワイト国指定を取り消した。制裁だと大騒ぎされたが、日本のメッセージを伝えるという意味だけしかないシンボル的措置だった。指定解除後も、半導体生産に必要な素材の輸出は続いた。

その後、文在寅政権は安倍が歴史を反省せず、開き直って制裁をかけてきた、これは第二の侵略だとして、今度は日本との闘いに負けないと主張して、半導体の素材の国産化を進めると宣言した。ところが、国産は品質が低くて実際、生産現場は困っていた。それで、文在寅政権下でも裏では日本が求めた実務協議もやり、貿易管理もきちんとやると伝えてきた。実務者たちはわかっていますから。特に尹政権になって、それがはっきりしたから、ホワイト国に戻す条件はできていた。あとは政治的タイミングで戦時労働者の問題についてきちんとしたことが出たので、ホワイト国に戻した。

岸田政権は当たり前のことを当たり前にやったと思いますね。「安倍さんは韓国を放置していたのに、岸田さんがそれを解除したのはケシカラン」と言う人がいますが、それは実態を全く見てない。ただ、私も自衛隊レーザー照射事件については阿比留さんとまったく同じ意見です。

阿比留　ホワイト国の経緯を言うと、産経新聞も最初は報復みたいなことを報じましたが、後に政府は「報復ではなくて」と言い変えさせた。たぶん産経が最初に特ダネで書いています。

西岡　当初、安倍政権は、文在寅政権は戦時労働者判決を放置して国際法を守らないことが明らかになったから、テロ国家に送らないという国際法だって守らないのではないか、という意味で、報復だって言ったんですよね。安倍さん本人も、そういうことを言っていましたし。

阿比留　そういうプロセスがあって、今回の二〇二三年八月十四日の日米韓キャンプデービッド合意、これは非常に成果があったと考えてよろしいですか。

西岡　その前に、やっぱり尹大統領が日本に接近してきた一番の理由は北朝鮮の核開発でしょう。とにかくミサイルをどんどん撃ってくると。去年からの特徴ですけれども、それまでの北朝鮮の核開発は戦略核だった。アメリカまで届く核ミサイルを持つという執念があった。一九五〇年代の金日成の時代から目指していたけれど、しかし、ウクライナの戦争でロシア陸軍があまりにも弱いのを見て、自分たちの持っている兵器はロシア陸軍が今持っているものよりも古いバージョンのソ連製武器だった。もう米軍がいなくても韓国軍に簡単に負けてしまうと。だから、実際に使える戦術核を持ちたいという要求が高まった。それで実際に戦術核攻撃の演習だと言って、射程の短いミサイルを飛ばして模擬核弾頭を付けて、それを爆破させる演習までやっている。

それを見て、尹大統領は自国民の安全を絶対守らなくちゃいけないと思った。本当にアメリカの核の傘が効くのか。特に戦術核の場合、朝鮮半島に核がないわけですから、戦略核で報復するのか。そういう強い危機感を持って、今年（二〇二三年）の一月に「（北朝鮮の核）問題がさらに深刻になれば、韓国に戦術核を配備するか、あるいは韓国が独自に核を保有することもできる」と言ったわけですよね。日米韓が強力な連携がないと韓国の安全を守れない。在日米軍基地こそが韓国の安全を守っているという強い意識があって、尹大統領は四月に訪米し、米韓ワシントン宣言というものを出した。

アメリカが「核の傘を信用してくれ」と言って、通常の米韓共同声明を出したうえで、わざわざ核の問題だけで、別途ワシントン宣言というものを出した。そこで拡大抑止（米国の核の傘）の運用を話し合う「米韓核協議グループ（NCG）」を新設し、朝鮮半島有事に備えた米国の核戦略に韓国側の関与を強め、米軍の戦略原子力潜水艦の韓国寄港など戦略兵器の展開も明記しました。その延長線上で日米韓の連携強化をやらなくちゃいけないということで、キャンプデービッドがあったんですよね。

阿比留 戦術核に対する危機感は、明らかに日本は不足している。はっきり言えば、アメリカに大陸間弾道ミサイルは届くし、北朝鮮がそれを実践配備している状況になってしまえば、本国に核ミサイルが飛来する現実があるのに、本当に報復してくれるかどうか怪しい。それが普通の見方です。だから安倍さんが、去年の二月に「核共有」（ヌークリア・シェアリング）の話をして、「必ず核を持てというわけではないけれども、そういう問題意識も持って何ができるか考えなきゃいけないよ」ということを言った。

でも、岸田政権の核に対する反応は、非常に木で鼻をくくったような反応なんですよ。キャンプデービッドの話に戻ると、そこで私はやっぱり一番大事だと思うのは、核の傘を日本としてどの程度確認できるのか。本当の確認にはならなくても、それに釘を刺せるのか。そこが最も重要なのに、どうもそんな話をした形跡がない。

西岡 いや、逆ですよ。「キャンプデービッドの精神」と題する合意文書に「核兵器のない世界の実現が国際社会の共通の目標であることを再確認し、核兵器が二度と使用されないことを確保するため引き続きあらゆる努力を尽くす」という文言が入ったんです。これは日本の意向で入ったはずですね。つまり岸田首相はキャンプデービッドで核兵器のない世界という理想を語った。でも、尹大統領は目の前に迫っている北朝鮮の核の脅威を意識して、拡大抑止、日米韓でなんとか北朝鮮を抑止することを入れようとしたわけです。その結果、「米国は、日本及び韓国の防衛に対する米国の拡大抑止のコミットメントは強固であり、米国のあらゆる種類の能力によって裏打ちされていることを断固として明確に再確認する」という約束が明記された。

私が評価するのは、「北朝鮮における人権の尊重を促進するための協力を強化することにコミットし、拉致問題、抑留者問題及び帰還していない捕虜の問題の即時解決への共通のコミットメントを再確認する」と三国首脳が言い、そして「自由で平和な統一された朝鮮半島を支持する」と明記して韓国による自由統一支持を初めて三国首脳が宣言したことです。同じことを、安倍さんが二〇一三年に韓国のジャーナリストに官邸でインタビューを受けたとき、日本の総理として最初に言った。しかし、朴槿恵がそれに答えなかった。慰安婦がどうだと、ガタガタ言ったわけです。

日米韓にとっては全体主義との戦いの中で拉致を含む人権問題に取り組み、自由統一を支持するのは正しいし、それは安倍さんが引いた路線。そう考えるなら、日本版ワシントン宣言をやらなくちゃいけないのに、逆に広島サミットで「核のない世界の実現」をアピールした。日米韓でも「将来的に核のない世界の実現」と書いた。そこは全く阿比留さんの懸念と同じですよ。よく阿比留さんは言うけれど、岸田さんは広島出身ということを強調しすぎですよね。

阿比留　そうですね。「広島出身の政治家として」「宏池会において三十二年ぶりの首相」などと、やたら言う。やめてほしい。地域や派閥の代表としてではなく、日本国の首相として話してほしいというのは常に思いますね。

西岡　韓国は三軸体系で北朝鮮の核を抑止すると言っている。まずは、核を撃つ兆候があったら発射台を叩く。そして、発射台を全部叩けなくて発射されてしまったらＭＤ（ミサイル防衛システム）で、空中で落とす。そして、実際核が爆発したら大量報復すると。大量報復の部分ですが、核による報復は米韓同盟によって米国が担う。韓国は通常兵器で北朝鮮指導部、金正恩氏らを叩くとされている。尹錫悦大統領は、三つ目の大量報復こそが鍵だと強調している。

日本はどうか。兆候があったら発射台を叩くという部分は、岸田政権は反撃能力を持つとやっと決断した。しかし、反撃だから、一発目が発射された後に発射台目指して攻撃するという意味で、核ミサイルを撃つ兆候を察知して一発目を撃たせないように攻撃するということではないようです。兆候があったら叩くということについて、別にそれは国際法上許されていることですが、そこまではまだいっていない。日本はＭＤの部分だけがやっとある。しかし、報復のところも米国が必ず日本が核攻撃されたら核で報復するかどうかまだ心配だし、特に北朝鮮がアメリカまで届く核ミサイルを多数実戦配備したら、より心配は強まる。

阿比留　先日、映画『沈黙の艦隊』を観に行きました。もちろん原作も読んでいますが、あれはまさに今日的な話、核抑止の話です。三十年以上前の漫画作品だから、結論的には世界統一みたいな話で国連を信じすぎている原作ですが、それはさておき、要は原子力潜水艦を沈めて核を積んでいるかもしれないと相手に思わせる。これ以上の抑止力はない。それがテーマでした。岸田さんにぜひ観に行ってもらいたいなと思いました。

だから例えば、日本も、もう核を直接持てないのであれば、非核三原則のうち、持ち込ませずだけは撤廃とかね。日本に日常的に核が持ち込まれている状態だと思わせると、それも抑止力になる。ですが、岸田さんはそこを撥ねちゃうんですよね。持ち込ませずについては、高市さんが去年の安保三文書のときにも相当主張したけれど、蹴られていた。今年に入ってから中谷元さんが首相補佐官時代に地元での講演で、見直したほうがいいと発言して、中谷さんにしては珍しくいいこと言ったと本人にも褒めた。ですが、それも無視ですね。将来的に核なき世界を目指すのは全然構わないけれど、今そこにある危機にもう少し正面から向き合っている姿は欲しいなとは思いますね。

日本版の三軸体系は必要不可欠

西岡 日本は中国の核に直面しているわけじゃないですか。そして、台湾有事とは核を持っている中国が実際に武力行使をすること。核を日本に使うかもしれない、脅しにするかもしれないのは当然想定される。尹大統領が北朝鮮の戦術核、あるいは戦略核にこれだけ必死になってできる限りのことをやろうとしているのであれば、岸田首相も非核三原則で日本を守れるのかという課題にもう少し踏み込んでほしかった。安保三文書をつくって、防衛費をGDPの二パーセントにするのは、一義的には中国の軍事膨張に対してバランスを取るってことでしょう。その場合、核のことは横に置いておくことができる平時なのか。もう、有事でしょう。その危機意識が足りない。

日米韓はキャンプデービッドで、何か事があったらお互いに協議すると決めた。「三カ国の共通の利益と安全に影響を与える域内課題、挑発、脅威に対応するため、各々の政府が迅速な形で互いに協議していく」と表明した。

台湾についても、「国際社会の安全と繁栄に不可欠な要素である台湾海峡の平和と安定の重要性を再確認する」と歴史的な合意をした。台湾有事の際、日米だけでなく韓国を入れた三カ国で何をするか協議することを約束した。韓国も一定の役割を果たすことになる。同盟まではいかないにしても日米同盟や韓米同盟がある中で、日韓も米軍が朝鮮半島や台湾で動くときには、最大限動けるように一緒に戦う枠組みをつくった。そこはよかったと思います。

中国に対する危機感を持つバイデンと北に対する危機感を持つ尹大統領で、岸田さんも安倍さんが引いた路線の中で中国と北朝鮮への危機感を持つ三文書をまとめた。でも、本当に危機感を持っているのだったら、尹大統領に「北の核はどうなっているのか」「戦術核をどうやって防ごうとしているのか」と問わなければならない。膝詰め談判で、三人で話さなくちゃいけないのに、逆の話をしている部分が残念だったですね。

阿比留　アメリカのバイデン側も日韓に核を共有しようとか持たせようとはせずに、核抑止は効くから大丈夫だということで誤魔化そうとしているように見えた。

西岡　でも、尹大統領は相当食い下がった。食い下がらないと駄目なんですよね。昔、中川昭一政調会長（当時）がテレビで「核武装の議論はあってもいい」という話をしただけで、アメリカのライス補佐官が飛んできた。

阿比留　あの頃は、今より「瓶のフタ」論が強かった。

安倍さんの話に戻ると、核共有の話を安倍さんがしたとき、どうしてかと訊いてみたら、「日本国民はよく知らないけれども、NATOのうち六カ国はアメリカと核共有している。なぜ共有しているかというと、例えば、ドイツにロシアが戦術核を撃ち込んだとする。ではアメリカは核で報復してくれるかというと、そのときにアメリカは、下手人になりたがるかな」と言っていました。

核を撃てば一〇〇〇人、もしかすると場合によっては何万人単位で人を殺傷することになる。自国がやられたわけでもないのに、そんな下手人にアメリカが本当になってくれるのかどうかはわからない。だから、ドイツは核共有して、そういう事態になったらドイツの飛行機にドイツのパイロットが乗って戦術核を撃ちに行くだろうと。安倍さんは、そういうことを日本人にも知ってもらいたいという話で、我々は核を持つ、持たないとは別に、危機を広く共有して考えなければいけないと話していた。それに対して岸田さんは、広島にこだわるのはわかりますが、もう少し柔軟になっていいのではと思いました。

西岡　広島にこだわるなら、尹大統領が今やっているみたいに、三発目の核を落とされないためにどうするのか、必死になって考えたら、日本版の三軸体系は必要不可欠という結論になるはず。特に尹大統領は「報復こそが抑止力だ」と言っている。北と韓国は近い。通常兵力で地下に隠れている敵の指導部を狙うバンカーバスター（地中貫通爆弾）なんかも準備して、指導部をいつでも叩けるような態勢をつくれと言っているわけです。でも日本は、敵基地の発射源を、一発目が飛んでから、二発目を阻止することが攻撃する能力が憲法違反ではないという解釈をしたうえで、これからトマホーク買うわけでしょう。それが出来るようになったことは前進ですが、あまりにも遅れている。

阿比留　昭和三十年代における鳩山一郎政権のときの政府統一見解で、「座して死を待たず」で有名な、発射の兆候があったら、撃てることを示して抑止しないと、というのがあった。当時は今のミサイルと全然違うロケット弾みたいなものですけれど、それでも敵基地攻撃能力は自衛の範囲に含まれる、と言っていた。

西岡 そもそも岸信介政権のとき、「核武装も憲法違反ではない」と答弁している。それに安倍さんがまだ役職に就いていないとき、早稲田大学で核保有について講演していますよね。ニュースにもなっていた。

阿比留 だから、政府の答弁なんですよ。自衛の範囲だと核武装もすることも、非核三原則違反でも法律違反でもないわけです。

それどころか、そもそも沖縄返還国会のときに、当時は野党だった公明党がごねて、なかなか国会に出てこなかった。反対してもいいから出てきてくれとの取引材料で、公明党の言っていた非核三原則を述べただけなんです。国政でもなんでもない。公明党にとっては、自分たちの手柄ってことなんでしょうけどね。

西岡 当時の佐藤栄作総理は核拡散防止条約に入ることを最後まで渋った。中国は核を持ったのだから、日本も核保有できないのか真剣に検討したんですよ。それなのに佐藤栄作が非核三原則をやったと言われているけれど、それは弁法であって、核拡散防止条約に入らない選択肢もあった。当時は、自民党の中には入らないほうがいいという意見の人はかなりいたわけです。

阿比留　日本がどんどん現実離れしたわけですね。

それは残念だったけれど、でも、日米韓が、特に尹大統領の危機感のために軍事協力ができるようになり、強化されたことは日本にとっていいことだと思いますね。

だから、尹さんが大統領である間に既成事実を積み重ねて、自衛の議論をやっていかないと、もしまた左翼政権になったときに全面変更できないくらいのことはやっておきたい。

西岡　韓国の内政を見ると、尹大統領の支持率は上がらなかった。外交はいいけれど、政治が駄目。今後、問題になるだろう大きな事件があって、海兵隊員がこの夏、水害の現場に派遣されて一人が川に流されて死んだ。救命胴衣も着てなくて、すべりやすい長靴を履いて、遠くから見ても赤いTシャツ——海兵隊ってわかるようなシャツを着せられて派遣されていた。それを海兵隊の中の憲兵隊がまず捜査した。救命胴衣を着せるのは原則なのにしてなかったことになって、司令官である師団長にも責任があるという捜査書類をまとめた。二〇二二年の法改正で軍内の死亡事故について軍に捜査権がなくなった。

それで捜査団長が警察に書類を出そうとして、一度は当時の国防長官が決裁したのに、その後ストップがかかった。どうも大統領府に止められた疑いが強い。それでも捜査団長は書類提出を強行した。すると国防部検察団が書類を回収し捜査団長である大佐は解任され、命令に従わなかったとして国防部検察団の取り調べを受けた。それで海兵隊ＯＢたちが怒ってデモを始めた。突然の方向変更の理由は尹大統領の指示しか考えにくい。

早いところ間違いを認めないといけないのだけれど、尹大統領は人の言うことはを聞かないんです。尹錫悦政権の政府与党は大統領に直言できる人がいない。

与党代表を辞めさせられた李俊錫氏が大統領が態度をあらためないなら与党を出て新党をつくると宣言しつつ、継続して、この問題を取り上げています。

尹大統領は検事のやり方で政治をしている。世論を盛り上げる力がないし、「俺の言うことを聞け」という感じ。その悪いところが出てしまって、支持率が上がらなくて、来年四月には、このまま推移すれば野党が弾劾可能な三分の二を取るかもしれないと囁(ささや)かれているんですよ。もしかしたら任期の途中で弾劾された朴槿恵のようになってしまって、今の日米韓の枠組みが崩れかねない。そうすると、もうアメリカが懸念したような、米韓同盟が破棄されるような事態もまだ起こりうるわけです。

阿比留　それは恐ろしいシナリオですね。

日本の地政学的な脅威は、いつも半島から来ている

西岡　続けて言うと、いまだにネット世論で見られる日韓断交論は、もう馬鹿馬鹿しい。こちらが断交しなくても、向こうが韓米同盟を切っちゃったら、韓国軍六〇万が敵軍として目の前に現れます。そういうことが文政権のときに起きかねなかったわけでしょう。北方の北海道と南方の沖縄だけじゃなくて、対馬も最前線になるわけですよ。日本の地政学的な脅威は、ずっと半島から来ている。それをわからなくて、「断交すればいい」と言うけれど、断交したって日本は引っ越すことはできないのです。まったく感情的な議論です。その議論の特徴は民族性に極度にこだわること。韓国人はこうだという決めつけが強い。一方、安倍さんが進めた価値観外交は民族性を超えて、自由民主主義、人権、法の支配などの人類普遍的な価値観と、中国や北朝鮮などの全体主義体制は相容れないという立場。そういう議論が、ネットの断交論にはないですよね。

阿比留　冷静に言うと、西岡さんのおっしゃるとおりだけれど、若干、そういう気持ちに

なる人が出てきた経緯には納得する部分もあります。それこそ文在寅政権、朴槿恵政権のときから、本当に日本は困らされましたから。告げ口外交も、向こうの要求に応えても感謝もしないし、一方で何かやろうとすると必ず足を引っ張る。そんなことがずっと続いてきた。だから、気持ちはわかるけれど、西岡さんがおっしゃったように引越しできないから、だったらせめて利用しようと思うしかないのでは。

西岡 日韓を感情的に対立するようにさせたのが北朝鮮の工作なんですよね。亡命した北朝鮮最高幹部である黄長燁も言っているけれど、金日成の口癖にカックン戦術がある。カッていうのは、朝鮮王朝の冠。クンっていうのは紐。冠が韓国で、それを支えている二つの紐が米国と日本で、韓米同盟切るのは大変だけれど、日韓関係を悪化させるには、民族感情を刺激すればいい、ここを切ると、冠は飛んでいくというふうに金日成はずっと言っていた。一九六九年に工作員養機関である金星政治軍事大学（現在の金正日政治軍事大学）での演説で最初に述べ、一九七二年、人民軍総政治局所属の政治軍人養成所である金日成政治大学卒業式の演説でも同じことを強調したという。

北朝鮮の政治工作がかなり韓国に入っていますから、そういう人たちが日韓関係を悪くしている。韓国の中にも北朝鮮のカックン戦術に利用されてはならないと言う人たちが出てきて、そして、歴史問題について慰安婦が強制連行じゃないと公然と言う人たちが出てきた。それで日本人も、少し気持ちも変わるでしょう。

たとえば、『反日種族主義』は韓国の言論空間では相当大きなムーブメントだった。でも割合でいえば、一パーセントか二パーセント。

阿比留 まだ、そんなもんですか。

西岡 でも、以前はゼロだったから。二〇二三年九月五日にソウルの真ん中で大きく日の丸が書いてある場所で、君が代を大声で歌って日韓慰安婦シンポジウムをやった。私はそれこそ、ずっと二十年間、価値観外交の立場から日韓保守派連携と言ってきた。慰安婦問題については日本で発言している内容をあえて韓国では発言しないで、ただ北朝鮮体制は悪だと、悪と一緒に戦おうと言ってきた。それでも韓国で行われる北朝鮮問題のセミナーとか、あるいはデモとかに呼ばれて行って見ると、予定されていた私の発表や演説が直前にキャンセルになったことが何回もあるんですよ。「西岡を呼ぶんだったら、テロを起こす」という脅迫があった。保守派の中からも慰安婦強制連行を否定している西岡に発言させるな、そういう声がいっぱい出てきた。ところが、今回は慰安婦問題でソウルの中心で私が発表できた。〇と一パーセントの違いだけれど、その進展は大きい。

二〇一九年十二月から、ソウルの旧日本大使館前の慰安婦像のすぐ横で慰安婦像を撤去しろというデモが始まった。反日左派は一九九二年から毎週水曜日、そこで反日デモを行ってきた。同じ時間に慰安婦像撤去デモを行っている。九月にわれわれは火曜日に慰安婦シンポがあって、翌日水曜日に私たちは慰安婦像撤去デモに参加して、慰安婦像のすぐ横で慰安婦像を撤去しろという演説をした。私は韓国で極右とか言われていますが（笑）、そういう人がテロには遭わないで、大きな声で演説して大拍手を受けることが、今、韓国で起きているんですよね。

放置ではなく、常に危機感を持って有事への準備を

阿比留 本当に日韓関係、歴史観は大きく変貌しました。

西岡 やっぱり真実の力は強くて、慶熙大学の教授が大学の講義で慰安婦の強制連行はなかった、お金のためだって言った。だから今、刑事告発されている。でも、私は戦うと、反論を大学の中で壁新聞に書いて張りつけた。その中に「西岡力の本を読んで、こう思っ

た」と書いてある。二〇二一年に私の慰安婦に関する本が韓国語に翻訳された。その先生は西洋哲学の先生で、ソクラテスのことを教えていて、真の知というのは疑うところから始まると、慰安婦問題を取り上げた。だから真実の力は、やっぱり少しずつ広がっていく。反日種族主義は今一パーセント、二パーセントですが、その影響力は無視できないんじゃないか。もし尹大統領が倒れたら、刑事告発された人たちがどんどん逮捕されていく。真実の力が怖いから、暴力でそれを防ごうとする全体主義の足音も韓国に聞こえているわけです。

阿比留　韓国って狭いから、何か話すと、みんなにすぐ広まる。そんな村社会的なところがある。で、朴裕河さんは『和解のために 教科書、慰安婦、靖国、独島』という本を書きました。今、その人も刑事告訴されているのですか。

西岡　そうですね。『帝国の慰安婦』という本も書きましたね。

阿比留　ソウル行ったときにその方にインタビューしましたが、条件が匿名だった。つまり産経新聞の記者に答えたとなると、またいろいろといじめられる。その話を聞いた後、日本に帰って原稿を書いたときに、「本当に匿名でこういう見方を示す人もいる」と書いたら、すぐに彼女から電話がかかってきた。「これでは私のことだと、ばれる」と。「SN

Sに、私とは会ってないと投稿してください」と言われた。そんな不自然なことを、しなきゃいけない。

西岡 彼女の『帝国の慰安婦』という本、元慰安婦らの名誉を毀損したとして刑事と民事で裁判係争中でした。二〇二三年十月、韓国最高裁は「学問的主張ないし意見表明」であって名誉毀損罪で処罰される「事実の摘示」と見ることは困難だとして、罰金一〇〇〇万ウォン（約一一〇万円）を宣告した二審判決を無罪趣旨で破棄し、高裁に差し戻しました。学問の自由の観点から歓迎したいです。

ただし、そのような当たり前の判決を最高裁が六年間、出さずに時間を浪費してきたことは大きな問題だ。反日を叫んだ文在寅政権下で最高裁が責任を果たさず判断を先延ばししてきたとしか思えない。

一方、最高裁判決は「図書の全体的な内容や脈絡からみて、被告人（朴教授）が検事の主張のように、日本軍による強制連行を否認したり、朝鮮人慰安婦が自発的に売春行為を行ったとか、日本軍に積極的に協力したという主張を裏付けたりするためにこの表現を使用したとは見えない」とも明記しました。朴教授自身も、自分は慰安婦が売春婦だという日本右派と同じ主張をしていないと繰り返し語っている。だから、残念ながら今回、韓国最高裁が慰安婦は売春婦だという主張を学問の自由の範囲だと認めたと見ることは出来ない。

しかし、最高裁判決は「学問的表現の自由を実質的に保障するためには、学問研究結果の発表に使用された表現の適切性は刑事法廷で識別するより自由な公開討論や学会内部の同僚の評価過程を通じて検証されることが望ましい」として、学問的表現に対する名誉毀損罪適用に慎重さを求めた。これは学問の自由という観点から評価できる。

その観点から、僕は朴教授批判の論文も書いたんです（拙著『わが体験的コリア論』収録）。その一部を紹介します。

朴氏は韓国語版と日本語版で吉田清治評価をひっくり返し、朝日新聞を評価したのです。朴氏は韓国語版で「慰安婦を『強制的に連れて行った』と語り、『朝鮮人慰安婦』認識に決定的影響を与えたのは吉田清治の本だ」と断定して書き、吉田が韓国人の慰安婦認識に与えた悪影響を認めていた。その部分を拙訳で以下に紹介します。

〈「慰安婦」を「強制的に連れて」行ったと語り「朝鮮人慰安婦」認識に決定的影響を与えたのは吉田清治の本『朝鮮人慰安婦と日本人』（1977）、『私の戦争犯罪』（1983）だ。最近まで言論は吉田の本を「強制動員」の証拠のようにあつかっているが（『朝鮮日報』

2012・9・6）、この本の信頼性が疑われはじめたのはすでにかなり前のことだ。吉田自身もその本が嘘だという批判に対して「本に真実を書いても何の利益もない（中略）事実を隠し、自分の主張を混ぜて書くなんていうのは、新聞だってやることじゃありませんか。チグハグな部分があってもしようがない」（『週刊新潮』1996・3・27）といって「反論しない」（『朝日新聞』1997・3・31）と語ったことがある〉（韓国語版48頁）

ところが朝日から出した日本語版では「決定的影響を与えた」という語を削除し〈朝鮮人強制連行」説を広めた〉とだけ書いて、吉田評価を大きく変えている。その部分を引用する。

〈自ら朝鮮人女性の「強制連行」に参加したように語って、「朝鮮人強制連行」説を広めた吉田清治の本（『私の戦争犯罪―朝鮮人強制連行』〈1983〉）を、慰安婦「強制連行」の証拠のように引用する記事は今でも続いている（「朝鮮日報」2012年9月6日付）。しかしこの本も信憑性が疑われて久しい（秦郁彦一九九九、『週刊新潮』一九九六年五月二・九日号、「朝日新聞」一九九七年三月三一日など）。一部で強調していた「強制連行」説は、信頼に足るものではない〉（日本語版56～57頁）

その上、日本語版で新たに付け加えた「日本語版序文」では、「吉田証言の影響はさほど大きくありません」と以下のように朝日をかばっている。
〈二〇一四年九月現在、朝日新聞はいわゆる「吉田清治証言」について誤報を出したとして批判されています。しかし、日本の多くの方が考えるのとは違って、強制連行説が世界に広まったことにおける吉田証言の影響はさほど大きくありません。少なくとも、吉田証言は韓国ではあまり知られていません〉（日本語版12頁）

ちなみに韓国語版は朝日が吉田証言の記事の誤報を認める前年の二〇一三年七月二十二日に発行され、日本語版は朝日が吉田証言報道を取り消し、謝罪し、朝日批判が高まった渦中の二〇一四年十一月に朝日新聞出版から発行されている。知的誠実さを欠く対応と言わざるを得ないですよ。

阿比留　学問的良心、あるいは、朝日新聞が勝手に書き変えて気づかなかったとか。

西岡　いや。彼女はアジア女性基金を支持しています。アジア女性基金がよかったと言っている。だから、和田春樹とか村山富市元首相と仲がいい。だから、彼女の言論を守ると和田春樹たちが声明を出している。だったら「反日種族主義の人たちの言論を守れ」と和田春樹はなぜ言わないのかということです。

阿比留　文在寅政権のときには、戦略的放置をせざるを得なかった。

西岡　それは、そうですね。私が強調したいことは、もう韓国が韓米同盟から離れるかどうかは、隣国としては最悪に備えることが必要で、日本は早く憲法を改正して、防衛力を増やすしかない。韓国の政治には、私たちは手を出せませんから。軍隊を送って、韓国を親日にするわけにいかないので。韓国に米軍がいるという安心感が戦後の日本を安保不感症にした部分が大きい。

先人たちは朝鮮半島が敵対勢力の手に落ちたら、日本の安全、独立は確保できない。だから、韓国を併合して投資をたくさんした。お人好しでやったわけではなく、安全保障でやったわけです。マッカーサーだって、朝鮮戦争を東京でＧＨＱのトップとして戦ったとき、そのことに気がついた。仁川上陸作戦を成功させ北朝鮮も大部分占領したのに、中共軍が入ってきて形勢が悪化した。金日成は満州に逃げているわけです。満州を爆撃したいと言ったら、解任されてしまう。アメリカの議会に行って、日本の戦争は自衛のためだと言った。東京に座ってみると、朝鮮半島がなかったら東京は守れないし、朝鮮半島を守るためには満州を確保しなくちゃいけない。日本が考えたことをマッカーサーも考えたからですよ。

阿比留　朝鮮半島は日本に突きつけられた匕首(あいくち)だと教科書に書いたところ、教科書検定で引っかかりました。

西岡　西尾幹二さん（評論家）が書いた。でも、私はだから放置だけではなくて、釜山赤旗という危機が来るかもしれないという危機感を持った放置でなければいけない。

阿比留　そうですね。あと、やっぱり韓国側に反日教育をやめてもらわないといけないですね。韓国の戦争博物館に行ったら、大型バスに次から次に、なんか幼稚園児みたいなのが連れられてくる。日本兵をやっつけている場面を見せて、竹島のパネルの前で記念写真を撮っている。そんなことを幼稚園から刷り込まれたら、なかなか正気に戻れないですよ。

西岡　戦争博物館は朝鮮戦争がメインですから、まだマシ。一番まずいのは、独立記念館です。独立運動のための記念館ですから、一九八二年の教科書騒ぎのときに設立した。日本と対抗するために、日本が歴史を歪曲するなら、われわれは正しく教えるというコンセプト。蝋人形があったり、拷問部屋があったり。そこにも修学旅行生がいっぱい来ていましたね。ただ最近、そういうことに対して、事実ではないという人たちが韓国で出てきた。

日本の処理水放出について中国に同調しなかった韓国

阿比留　高市さんが靖国神社に行って韓国側から「非常に残念だ。歴史を歪曲しないでほしい」と言われたとか。

西岡　岸田さんの玉串料についても、深い失望みたいな表現があった。

阿比留　あれは韓国政府の、毎年のルーティンですけどね。

西岡　尹政権になっても、それはまだ続いている。

阿比留　去年は外務省の外交官が発言していたけれど、今年は大臣でしたね。若干トーンを上げましたよね。

西岡　言っていることは同じですけれど、外相になった。たぶん、尹政権が、大統領ご本人はそんなことを意識していないでしょうが、いま世論に追い込まれているから、大統領を守ろうという人たちがしているんだと思います。

阿比留　国内向けですか。昔、韓国は何も言ってこなかったんですよ。盧武鉉政権になって始まった。現在は国家安全保障局長の秋葉剛男さんが当時、韓国側の当局者に「日本と韓国は戦争をしてないのに、なぜ靖国神社参拝について文句を言うのか」と訊くと、韓国の当局者は「中国が文句を言っているので、韓国も何か言わないといけないと思って」と答えた。そのくらい、いい加減な理由から始まっている。

西岡 別の話題になりますけれど、最近だと処理水放出。中国だけが頑固に日本に対して批判の声明を発した。韓国はそれには同調しなかった。これも尹政権になってからの一つの効果かなと思いましたね。

阿比留 尹大統領が日韓関係を大切にしている。処理水が汚れていると言っている韓国の野党勢力やマスコミは、「反日」ではなくて「反尹」をやっている。尹政権を倒そうと思ってやっているから、尹政権側が安全だと言うと反論は激しくなる。国内政治ですね。

西岡 国内政治として、尹政権は素晴らしい広報のＹｏｕＴｕｂｅをつくりましたね。韓国のアナウンサーが出てきて、韓国の専門家たちが科学的に考えて、これは希釈されているし、安全だし、そもそも韓国の原子力発電所、中国の発電所からもっと多く処理水が出ていると説明した。我々が常識的に知っていることだけれど、それを日本が語るんじゃなくて、韓国の学者に韓国のアナウンサーが語らせている。一六〇〇万回ビューがあって、じわじわと広がっている。逆に、韓国の野党や一部マスコミが孤立してきている。そこも真実の力だと思いますよね。

「岸田さん、まだ決めかねているよ」

阿比留　岸田さんが外務大臣時代、二〇一五年十二月の安倍、朴槿恵の間でなされた日韓慰安婦合意のとき、「最終的不可逆的と韓国外相に言わせたのは大きい」と慰労する安倍氏に、「韓国が約束を実行していくことをきちんと見ていかなければいけない」と岸田さんが言ったそうです。結局、文政権は約束を実行しませんでしたが。

その時期に安倍さんが、韓国のことをボロクソに言っていた。でも、まったく予想していなかったわけではなくて、「予想はしていたけれど、やっぱり駄目だね」という感じでした。だからこそ、アメリカを保証人に立てた。アメリカを保証人にして、テレビカメラの前でわざと両方の国の外務大臣に話をさせた。世界を立会人にしたわけですね。

西岡　それも、朴槿恵大統領が弾劾されたから駄目になった。先ほど言ったように、尹大統領も可能性として弾劾が囁かれている。私も今回の尹大統領がやった戦時労働者問題の解決策について、期限付き日韓関係改善策だとずっと言っている。まず、尹大統領の任期。韓国政治は不安定なので、任期がもしかしたら朴槿恵大統領のように短くなってしまう危機さえありうる。韓国はもう完全に全体主義対自由民主主義の戦いが最前線になって、だから三八度線が、もう真ん中ぐらいまで下りてきている。

文在寅政権になったときは釜山近くまで下りてきたのを、尹政権になってもう少し上げようとしたけれど、まだ左翼が国会とマスコミを握っている。裁判所も左翼が強い。だから、余計に日本は憲法改正をやらなくていいのかという危機感が岸田政権にあるのか。核を持つ反日国家ができて、米軍がいなくなって、連邦制とか言いながらも、いまの北朝鮮のような統一朝鮮ができてしまう可能性もゼロじゃない。

日本の安保にとって重大な危機ですよね。でも、われわれは手も出せないわけです。だからこそ、韓国の自由民主主義派にモラルサポートを送りながら、最悪に備えて準備するしかない。最悪に備える気持ちが岸田政権にあるのかと言いたい。

阿比留　政権を全うした李明博だって、当初は日本が非常に歓迎して、李明博だったら話ができるとか政府関係者がよく言っていた。野田佳彦内閣のときですね。最終的には喧嘩になっちゃったけれど、最初の頃は李明博と話して画期的な会談だとか、副長官あたりが自分で感動して言いまくっていた。でも、結局最後は駄目になって、竹島に上陸までされるという。その繰り返しを日本側は見てきましたから。今、手を打っておかないといけない。西岡さんがおっしゃったようなサポートとかは、政府側はともかく、国民レベルではなかなか理解し難いものはあるだろうなとは思いますよね。

西岡 二〇一九年以降は変わった。サポートすべきは韓国の政権ではなくて、少数で真実のために頑張っている人たちですね。

阿比留 まったく、その通りですね。

西岡 その人たちにモラルサポートを送る。国際的に学問の自由を守れという声を上げながらね。

阿比留 今、西岡さんからお伺いしましたけれど、水曜集会に行っても、保守派のほうが多い。

西岡 三月は私が行くってこともあって、動員をかけてもらって初めて逆転した。こちらが一〇〇人ぐらいで、向こうが二〇人とか

阿比留 私が数年前に水曜集会を見に行ったときには、保守派は誰もいなくて、向こうが

動員かけていた。二〇人ぐらいの若い学生が来ていて、集会が始まる前までは慰安婦像の女の子の頭に手を掛けてもたれたり、ぐりぐりってふうにして、全然敬意なんか持っていなかった。

西岡　かなり前から、反日派は学生を連れてこないと動員できなくなっていた。学校の先生が授業の一環として連れてくるみたいなことで、やっと動員していた。あとはキリスト教関係者とか、そういう人たちが来る。そういう人しか来ないけれど、それも尹美香の金銭スキャンダルでガクッとなって動員力が落ちた。一方で、真実勢力がどんどん力を持ったという流れですね。

阿比留　慰安婦支援者とか慰安婦側に立って発言している人たちは、なんかいろいろな性問題で次々に摘発されていきましたね。

西岡　セクハラでね。朴元淳というソウル市長とか。あの人は、元々弁護士で彼が有名になったのは、セクハラ裁判の弁護を最初にやったからです。悪名高い女性戦犯法廷では北朝鮮代表と一緒に検事役を務めた。そもそも法廷と名がつくけれど、弁護士もいない。だから法廷と名乗ることもおこがましいけれど、勝手な集会で検事役になった。その後、ソウル市長になって自殺してしまった。理由は自分の秘書にセクハラして、秘書が刑事告発する直前にそれがわかって自殺した。

阿比留 日本も左派文化人とか、セクハラが多いですよね。女性の味方みたいなこと言って、自分はセクハラしまくっている。よっぽど欲求が強いから他人もみんなそうすると思っているんじゃないですかね。

西岡 左派出身の忠清南道知事と釜山市長もセクハラしていましたね。朴元淳が南山に慰安婦の記憶の広場をつくった。そこに変な造形物をつくった作家がセクハラしていて、今のソウル市長がそれを撤去した。みんな、セクハラのオンパレード。日本でも朝鮮人強制連行などを告発していた長崎の牧師がやはりセクハラしていた。

阿比留 笑っちゃいますよね。慰安婦支援者、セクハラマニアばっかりという。今、西岡さんが挙げた長崎の人も博物館とかつくって慰安婦問題で日本を糾弾してた人だけど、自分はセクハラしている。笑っちゃいますよ。

西岡 ウソつきでセクハラで金に汚い。慰安婦をやっている連中は三拍子揃っている。

阿比留 だから、岸田さんはさっき言ったように慰安婦合意の当事者ですから、韓国には厳しく対応するだろうとずっと思っていた。ところが尹政権に対して、当初はあれ過度にのめり込んでいるのかなと疑いを持ったけれど、尹さん側がちゃんとやっているので、そうでもなかった。これは、これでよかったと思うように至りました。

　岸田さんが韓国にちょっと歴史問題で甘かったのは、佐渡金山問題。申請手続きとして文化庁は候補に挙げたのだから、粛々と申請すればよかったのに、「政治的に検討する」と言って決定を引き伸ばした。ブレましたよね。

　当初は申請しない方向にぶれた。だから、安倍さんが相当ケツを叩いた。そもそも佐渡市長が申請してほしいと言っているのだから、しない選択肢はない。「岸田さんは外務省の言うことを聞くから駄目、聞いちゃ駄目だって言ったんだ。役人はできないことをいくらでも並べるから、そうではなくて、やれと命じたら、やる方法を考えてくる」と。岸田さんは、日韓関係をアメリカがよくしようと働きかけているときに日本が佐渡金山で申請したら、アメリカが反発するのではないかと心配した。そこで安倍さんが、「今は反発したりしないよ」と伝えた。

　現在はウクライナ問題とか、逆にアメリカは日本に協力を求めている立場だから、こんなことで反発したりしないと、ケツを叩いたという話ですけどね。ちょうど私と安倍さんが話しているときに安倍さんの携帯に岸田さんからかかってきて、いっぺん切って、また安倍さんから折り返した。「岸田さん、まだ決めかねているよ」と言っていました（笑）。

西岡 だから、安倍さんがいたときは、そういう点では自民党の最大派閥の領袖ですから、影響力があったわけですよね。「台湾有事は日本有事だ」って、総理としては言えない発言を、たとえば核共有のようなことをどんどん言って世論を動かそうとしましたけれど、その安倍さんがいなくなってしまいましたからね……。

第四章 北朝鮮による拉致問題は今後どうなる?

安倍さんは人事で自分の腹心は変えなかった

阿比留　安倍さんは、実は省庁人事とかには本当に関心がなかった。だけど、外務省だけは違いました。

第二次安倍政権ができて間もなく、外務省の人事で中国べったりの人物がアジア大洋州局長になりそうになった。私が安倍さんに「内定したそうですよ」と言ったら、フタを開けたら差し替わっていました。

西岡　人事で安倍さんと岸田さんは傾向が違う。

安倍さんはやりたいことがあっての政策主導、官邸の自分の腹心たちは変えなかった。谷内さんもそうだし、兼原さんもそう、北村さんもそうでしょう。今井さんは秘書だから、本当に腹心でしょうけれど。普通は任期付きで三年くらいで変えないと、後輩たちの人事に影響がある。

ところが安倍政権のスタッフは最後まで一緒にやろうという、今までにはないやり方をしました。

残念ながら岸田さんでは元に戻った。役所の人事の枠組みの中で任期付きの人事に戻ってしまった。

阿比留　象徴的だったのは、岸田さんが安保三文書を年末にやる五月に防衛事務次官だった島田さんを変えたとき。

当時、私が「島田さんが替わる」と連絡すると、本当に安倍さんは驚き、「私に対する意趣返しか」と激怒していた。その場で、安倍派の松野博一官房長官に電話して確かめたほどでした。

安倍さんと菅さんは拉致問題で仲を深めた

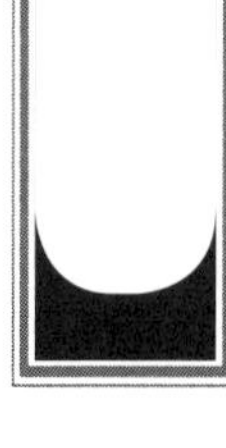

阿比留　安倍さんと菅さんの仲が良くなったのは、もともと、菅さんが万景峰号の新潟寄港を制限する方法がないかと法改正に取り組んでいて、それを副長官時代の安倍さんが「菅さんは正しいことやっているのだから頑張ってください」と言ったのが最初だった。

西岡　あれは小泉訪朝の翌年の二〇〇三年からでした。われわれが新潟に行って、「万景峰号、帰れ！」と叫んだときですよね。調べてみたら、日本に入港を制限する法律はなかった。当時の国土交通省では、港を開く開港の原則が国際法だとして、北朝鮮籍の船も日本が開港した以上、拒否できないとなっていた。菅さんたちが議員立法をつくることになって、調べた。そうしたらアメリカのキューバ自由化法があった。その中でキューバ船籍の船はアメリカの入港を禁止していた。それを見つけて役所を呼んで、「アメリカは国際法に違反しているのか」と役人を怒って議員立法で通したんですよね。

阿比留　そのときに菅さんのインタビューだったのか、単に公の場の発言だったのかを産経新聞が大きく取り上げて、安倍さんはそれを読んで菅さんに電話した。もともと一九九七年の歴史教科書議員連盟（日本の前途と歴史教育を考える若手議員の会）のときから、菅さんは参加していました。だから一定程度は、交流はあったと思いますけれど。

西岡　教科書議連のときは、そこまで深くなかった。二人を結びつけたのは、やっぱり拉致問題でしょうね。

小泉政権で菅さんは総務副大臣だった。朝鮮総連の地方施設の税金減免をやめさせろという総務省の通知を出した。第一次安倍政権になって総務大臣になった。私、すぐに大臣室に呼ばれて、「拉致で何かやってほしいことがあったら言え」って言うんですよ。単刀直入でした。突然、電話がかかってきて、「来い」となる。

実はジェンキンスさんが本を出して、それを読むと、短波ラジオを聞いていたと書いてある。だから二〇〇二年九月に小泉さんが訪朝したとき、リストに曽我ひとみさんの名前が入っていたことを曽我夫婦は北朝鮮から教えられる前に知ることができた。もちろん、知らないふりをしていたそうですが。それでジェンキンスさんに会って、「何を聴いたのですか?」と訊いたら、「ＮＨＫの国際放送を聴いていた」と言っていました。つまり北朝鮮は持ち物検査を厳しくやっていると思ったけれど、曽我さんの家には短波ラジオがあった。当時、北朝鮮の人たちも含めて外の情報を取るために短波ラジオをみんな隠し持っていたんですね。

ＮＨＫの国際放送が聴かれているのだから、国際放送の中で、「拉致に対してどういう主張をする」というのは、政府は言えないかもしれないけど、「拉致問題に関してのニュースの量を増やすってことはできないですか?」と言った。それで菅さんは大臣として、ＮＨＫに要請した。ところが、最初は「言論への政府の介入だ」と強い反発があった。それでもめげないで法律を調べたら、命令放送という制度があった。つまり国内のテレビとかラジオは受信料でやっているけれど、国際放送はすべて税金でやっている。だから政府がこういうテーマでやってくれと言える。それが命令放送。「法律があるならやらせろ」という姿勢で命令放送を発動した。ＮＨＫの労働組合は左翼が強くて、反発したけれど、菅さんはびくともしなかったですね。

阿比留　菅さんは人事でもそうでした。「これは私の権限だ。何が悪い」っていう感じでやっていましたね。

西岡　菅さんは本当に、拉致問題を一生懸命やっていた。安倍政権の最後、官房長官として拉致大臣をやったときから、私はしょっちゅう呼ばれていました。

阿比留　よく私の周りでは安倍さんと比較して、菅さんは国家観がなかなか見えないとか、悪口を言われる。拉致問題のときも、相当言われていた。

でも、処理水の放出を決めたのは菅総理ですし、歴史問題では閣議決定して、戦時労働者について強制連行・強制労働という言葉を使うのは適切じゃないと決めて、教科書の検定基準にまでしましたからね。菅さんは仕事人。安倍さんみたいに大きな戦略を立てて、そこから降りてくるのではなく、目の前の大きな一つひとつの問題を国のためと思ってやっていく。

今は、賛否両論があるライドシェアの件をやろうとしていますよね。

西岡　そういうタイプです。だから安倍さんとのコンビネーションがすごく良かった。

阿比留　補い合えますからね。菅さんは政治家として特別に保守ではない。でも、別に左翼ではない。目の前の課題を一つひとつやりたいっていう人ですよね。夫婦別姓とか、吹き込む人によってはやるべきだってなりますね。

西岡　保守の人は、そのあたりは残念だと思っちゃうことがあるみたいです。

拉致被害者を取り戻すには二つの方法がある

阿比留　菅さんは、拉致問題は本当に一生懸命やっていた。今でもやっています。拉致問題の現状はどうなっていると西岡さんは見ていますか？　もちろん表にできないことも、いろいろあるでしょうが。

西岡　解決の方法というのは、大きくいうと二つある。それは、実力によって取り戻すか、交渉によって取り戻すか。二〇一七年の核危機の中でトランプ政権が北朝鮮に軍事力を行使しようとしていたとき、自衛隊を使って取り戻すという可能性がかなり高まった。
阿比留さんが以前、話していた河野克俊統幕長の話があったじゃないですか。

阿比留　二〇一七年に北朝鮮が六度目の核実験をやったのを契機に、アメリカが北朝鮮に先制核攻撃をやる可能性が出てきた。北朝鮮有事というのがかなり現実味を帯びてきた。翌年二〇一八年二月頃に河野さんと二人で食事する機会があって、一杯やりながら話したとき、河野さんが私に言ったのは、「超法規的になるかもしれないけれど、北朝鮮有事の際には自衛隊を出して拉致被害者を取り戻そうと思う」と言った。
「安倍総理も、きっと了承してくださいます」というようなことをおっしゃった。僕は、すごいことを聞いたなと思った。もちろん取り戻すためには、拉致被害者がどこにいるかをまず特定しなきゃいけないので、簡単な話ではない。けれども、河野統幕長はそのつもりでいた。安倍さんとも、そういう話をしている感じだった。

西岡　自民党には、北朝鮮による拉致問題対策本部という総裁直轄の組織がある。そこで同党議員らを集めて頻繁に会合を開く。しばしば、私も呼ばれます。年度を覚えていないけれど、ある会合に防衛省の人が来ていて、自民党の若い議員などと、どうして自衛隊を使えないのかといった議論をしたときに、防衛省の人が「こういう例があります」と出してきたのが、イラクの例だった。

第二次安倍政権が安保法制の関連法を成立させたので、自衛隊が海外で日本人を移送することができるようになった。それにはまず、その国の政府が了解しているのが条件だった。それから戦争が終わって安全だということも条件。イラクではフセイン政権が倒れて、米軍司令官が軍政を敷いて統治していた。まだくすぶってゲリラ戦みたいなものがありましたが、一応、平和になっていた。そのとき、現地で取材していた日本人新聞記者が孤立して、助けてくれと政府に要請し、自衛隊が孤立している記者たちを運んだ。たしか、安保法制に反対していた社の記者も助けてもらったはずです。

そういう例を、わざわざ防衛省の人が自民党の拉致問題対策本部で話したんですよ。超法規的じゃなくて、法規的に行うとしたら、それしかないと。

だから米軍が北の政権を倒す。そして暫定的に米軍が統治する。しかし、まだ残党が抵抗していると。金正日政治軍事大学というテロリスト養成学校があって、過去にそこでめぐみさんが目撃されている。一〇〇〇人を超えるテロリスト候補がいて、ものすごい訓練を受けて、重火器も置いてある。

そこを武装解除するのには、一番いいのは爆撃しちゃえばいい。でも、そこには拉致被害者がいるかもしれない。そういう場合に、爆撃を止めて地上軍を送ってくれと作戦に口を出すためには、お金を出すだけじゃ駄目なんですね。

アメリカは、安全のために爆撃したほうがいいと考えている。爆撃をやめてくれと言うからには、「自衛隊が行く」と言わなければ駄目ですよね。

習志野には特殊作戦軍がいる。ものすごい訓練を受けています。その国の政府に代わる統治者である米軍司令官がOKと言って、総理大臣が「北朝鮮は安全だと見做す」と言ってしまえば、そこにいる拉致被害者を運ぶことができる。拉致被害者がいる可能性がある施設への爆撃を止めて、武装解除作戦を自衛隊が担い、拉致被害者がいたら助け出す。自民党の拉致対策本部でイラクのことをわざわざ出したのは、以上のような救出作戦が念頭にあったと私は理解しました。

首相官邸で安倍総理と面会したとき、家族会の人が「自衛隊を出してください」と頼むと、安倍さんは「今の法的枠組みでは自衛隊は出せない」「米軍にさまざまな被害者の情報を渡して、話し合いをしている」と言っていた。

家族会と米国防省を訪問したとき、米軍の朝鮮半島での作戦計画に日本人拉致被害者救出のミッションは入っていますか、と私が単刀直入に質問したとき、課長級の幹部が「プロフェッサー西岡の質問はよく理解できた。しかし、作戦の中身は秘密です」と答えたことがある。

米軍に何かを頼むにしても、集団的自衛権を行使して日本がグアムを守ったとか、沖縄の基地を守ったとか、血を流してアメリカを助けたということがあって初めて、「作戦を少し変えてくれ」と言える。有事にはそのことを考えなくちゃいけないのですが、平時には交渉、つまり小泉訪朝型の救出しかない。しかし、その交渉での救出は、実は強い圧力を背景にしなければ成り立たない。戦争直前までいくような圧力があって、初めて北朝鮮は動いて譲歩する。これが二つ目の方法。

それだけの圧力は過去に実は三回あって、最初は一九九四年の第一次核危機のとき、クリントン政権は寧辺を爆撃する準備した。そしたら金日成が出てきて、カーターと会談して「寧辺の原子炉の稼働を止めて核開発を凍結する」と約束した。その見返りに、核兵器をつくりにくい軽水炉型の原子力発電所を無料で二基建設してやるという、いわゆるジュネーブ合意ができた。その建設費用が五〇億ドルかかる。村山政権に請求書が来て、日本に一〇億ドル払えと来たから、村山政権は払うと約束した。実際に五億ドルは出した。

でも、声を大にして言いたいけれど、村山政権はお金を出す条件として拉致問題のことは一切言わなかった。また、北朝鮮は発電所が完成するまでつなぎに火力発電用の重油をくれと厚かましい要求を出し、米国はそれも呑んだ。軽水炉建設費用を出さない米国が毎年五〇万トンの重油提供を担当することになった。

アメリカが強い圧力をかけて北朝鮮が譲歩したのに、そのとき条件に拉致を入れなければ、もう交渉での取り戻しはあり得ないわけですね。

次の小泉訪朝のときが二回目の機会だった。あのとき、アメリカはテロとの戦争の中で、北朝鮮がジュネーブ合意で「核を凍結する」と言っていたのに、騙してパキスタンから濃縮ウラニウムをつくる技術を導入して核開発を続けているとわかった。だから、ブッシュ大統領が有名な悪の枢軸演説で、北朝鮮を悪の枢軸の中に入れて、「戦争をしてでも北朝鮮の大量破壊兵器を取り上げる」と宣言したわけです。米国の軍事攻撃を恐れた金正日が、日本に泣きついた。それで小泉さんがピョンヤンに行った。それが五人が帰ってきた背景です。

そのときも外務省アジア局長として秘密交渉を担当した田中均さんは、核も拉致も重視しなかった。国交正常化を優先する外交をしたから、うまくいかなかったわけです。それでアメリカは怒り、われわれ家族会・救う会も怒った。五人は取り戻したけれど、それ以上は駄目だった。三回目がまさに、河野統幕長が言っていた二〇一七年の危機、その圧力があったから金正恩はトランプと会ったわけです。

阿比留　二〇一七年九月に安倍さんが訪米してトランプと会った。帰ってきてすぐ私と話したら、「北朝鮮からアメリカを攻撃することはない。金正恩は臆病だから、それは絶対にない」と断言していた。しかし、「来年、アメリカの先制攻撃はあり得る」と言い出した。安倍さんは当時、そういう見解でした。

西岡　安倍さんの見解？

阿比留　「そこまで切迫している」という見方でした。トランプさんと会ってすぐに、そんな話をしたわけです。河野さんと会ったのはそれから数カ月後ですが、河野さんはそのときに「自衛隊人生四十年の中で、今が一番緊張している」と言っていました。

西岡　あのころ、私も戦争が起きてもおかしくないと緊張して、安倍さんが総理でいてくれて良かったと実感したことを思い出します。振り返ってみましょう。

二〇一七年七月四日に北朝鮮が平安北道亀城方峴飛行場近くのミサイル発射施設で金正恩参観の下、大陸間弾道ミサイル（ＩＣＢＭ）火星14の発射実験をした。ロフテッド軌道で日本海に落ちましたが、軌道を計算すると、火星14は米本土西海岸を射程に入れたＩＣ

ＢＭだった。

七月五日、在韓米軍が南北軍事境界線近くの日本海側海岸から日本海に陸軍地対地ミサイル（ＡＴＡＣＭＳ）を発射した。発射地点から落下地点までの飛行距離は、同じ発射地点から金正恩がＩＣＢＭ発射を参観した施設までの距離一八六マイル（約二九九・三三キロメートル）と正確に一致していた。方向を変えれば、金正恩をミサイルで殺せるという脅しだった。

七月二十八日、北朝鮮は火星14のロフテッド軌道での発射実験を再度行った。

八月二十九日、北朝鮮は中距離弾道ミサイル火星12の発射訓練をした。通常軌道で北海道を飛び越えた。グアムまで届く射程距離だった。北朝鮮は実験を意味する「試射」ではなく、「朝鮮人民軍戦略軍の中・長距離戦略弾道ロケット発射訓練」と発表した。

ミサイル開発は、軍ではなく国防科学院が行います。国防科学院が行う発射実験は、「試射」と呼ばれる。開発が終了し軍に引き渡され実戦配備された後の発射は、「発射訓練」と呼ばれる。この時点で火星12は、その段階に入った。つまり、グアムまで届くミサイルが実戦配備されたということでした。試射でなく発射訓練だったことを知って、私は大変なことになったと思いましたね。マティス国防長官はこのとき、北朝鮮の港への限定爆撃を検討したが、全面戦争へ発展する憂慮があると断念したという。

二〇一七年九月三日、北朝鮮が六回目の核実験を行った。北朝鮮はＩＣＢＭ装着用の水爆弾頭の実験だと主張した。日本防衛省の推計によると爆発規模は一六〇キロトン、広島に落とされた核爆弾の約一〇倍だった。防衛省は水爆である可能性もあると判断した。ちなみに、それまで五回の核実験の最高威力は二〇一六年九月の一一〜一二キロトンだったから、六回目の実験が大成功だったことがわかります。

過去六回の核実験の防衛省推計威力は以下の通りです。
①二〇〇六年十月、0・5〜一キロトン ②二〇〇九年五月、二〜三キロトン ③二〇一三年二月、六〜七キロトン ④二〇一六年一月、六〜七キロトン ⑤二〇一六年九月、一一〜一二キロトン ⑥二〇一七年九月三日、一六〇キロトン
二〇一七年九月十五日、北朝鮮は再び、中距離弾道ミサイル火星12を発射した。八月二十九日と同じように「朝鮮人民軍戦略軍の中・長距離戦略弾道ロケット発射訓練」と発表された。通常軌道で再度北海道を飛び越えた。

九月二十三日、米軍は北朝鮮の目の前の海上で演習を行った。グアムを飛び立った戦略爆撃機Ｂ-1Ｂが、Ｆ-15Ｃなど戦闘機十数機に守られて日本海の海の休戦ライン（ＮＬＬ）

を超えて元山沖で模擬空襲演習をした。

私は当時、北朝鮮内部につながる筋から次のような内部事情を聞いていました。金正恩は、米軍機が元山沖まで飛来したのになぜレーダーで捉えられなかったのかと、防空司令部を叱責したところ、レーダーが古くてステルス性能を一定程度持つB-1B戦略爆撃機は捉えられないことがわかった。

なお、元山には金正恩の豪華別荘がある。護衛司令部の別荘管理担当幹部のスマホから位置確認装置が見つかり、同司令部司令官、政治委員ら最高幹部が二〇一八年に処刑された。米軍筋は当時、自分たちは金正恩の所在情報を把握していると語っていた。さまざまな情報から、私は、金正恩が当日、元山に来ていて、米軍はその所在情報をつかんで演習を行った可能性が高いと見ています。

二〇一七年九月二十三日の元山沖の模擬空襲演習の後、金正恩は核実験、ミサイル実験を止めた。そして十月七日に労働党中央委員会総会を開いて、妹の金与正を党政治局員候補に昇格させた。自分の関わる日程、行事すべてを管轄し、保秘と安全確保を担当する権限を与正に与えたという。米国が自分の命を狙う斬首作戦を実行するのではないかと恐れてのことだった。

十一月二十八日、北朝鮮は米国東海岸まで届くＩＣＢＭ火星15をロフテッド軌道で「試射」したが、大気圏に再突入したとき、弾頭が三つに割れてしまった。大気圏再突入実験は成功していない。それなのに北朝鮮は米国まで届く核ミサイルを完成したと一方的に発表した。そして、核実験とミサイル発射を止めて、米朝交渉に入ってくる。

金正恩はトランプの軍事力に怯えて、まだＩＣＢＭが完成していないのに完成したと発表し、米国との話し合いに舵を切った。圧力が効いたのです。そのとき、安倍さんは集団的自衛権を行使して、自衛隊の迎撃ミサイルでグアムの米軍基地を守ることを公言してトランプと共に圧力をかけながら、拉致問題を核と一緒に解決するようにトランプへの根回しに心血を注いでいました。

阿比留　トランプは、「シンゾーにとって拉致問題がどれほど重要か、わかっている」とも安倍さんに言っていましたね。安倍さんも「アメリカ人拉致まで話した」と言っていましたから、相当、頭にインプットされていた。

西岡　だからトランプ大統領は、拉致被害者家族と二回も会ってくれて、自分の国連演説の中で「一三歳のかわいい少女が拉致されて、けしからん」と、自国民のことではないのに言ってくれた。そんななかで、金正恩と会うことになった。シンガポールで一回、ハノイではなんと二回も拉致問題の話を出した。つまり、アメリカの圧力で拉致と核を一緒に解決する。それが実現する直前までいったわけです。

特にハノイでは拉致の話を出したら、金正恩は他の話題に逃げた。その直後の少人数の夕食会で、もう一度トランプは出した。そうしたら、金正恩は意味のある回答をした。われわれが二〇一九年五月に訪米したとき、ホワイトハウスの高官からそう聞いた。ただし、「その正確なワーディングは、あなたたちにも教えられない。シンゾー・アベには全部教えてある」と言っていましたよね。

阿比留　安倍さんがいなくなった今、もう聞くことはできませんから、本当に残念です。

岸田首相は、北朝鮮の核問題と拉致は切り離すと言った

西岡　そのときに、もし核問題で米朝が合意していたら、安倍訪朝はあったと思う。トランプは北に「核をやめなさい。そうすれば豊かな国になれるよ」と説得した。ただし、「アメリカは支援しない」と言った。「制裁は緩めるけれど、アメリカは経済支援をしませんよ」

と。「でもシンゾーは、金は出すと言っている」と。

国交正常化の後、韓国にやったように出すと。でも、シンゾーの条件は拉致。だから拉致を解決しなさいという話になった。トランプさんには計算があるわけです。安倍さんに対する友情とか、拉致に対する怒りも一部あったかもしれないけれど、それだけでなく計算ですね。自分の懐を使わないで、北朝鮮の核をやめさせることが目的です。

シンゾーは拉致について言い続けているから、あの男は拉致なしにお金を出すことはあり得ない。昔、村山政権のときには拉致なしに日本は五億ドル出したけれど、そんなことは絶対にシンゾーはしないと思わせることができたから、そこまでいった。しかし米朝核合意ができなかったので、核と拉致を一緒に解決する交渉は今、頓挫(とんざ)している。

そこで考えたのが、核と拉致を切り離して、拉致だけ先に解決する構想。それを家族会・救う会で考えて、岸田政権に要望した。その一番の背景は、親の世代の被害者家族がどんどん亡くなって、今は二人しかいなくなった。そしてバイデン政権はもう北朝鮮の核問題には関心がなく、ウクライナ、そして中国問題にシフトしている。だから北朝鮮の核問題は動かないだろうという見通しで、拉致だけ先に解決する構想になった。岸田首相は二〇二二年十月、家族会・救う会・拉致議連などが主催した国民大集会で「拉致問題は時間的制約のある人権問題」と言った。安倍さんも菅さんも、「拉致・核・ミサイルを解決して国交を正常化する。そして不幸な過去を清算する」とだけ言っていた。でも岸田さんは同じことを言ったうえで、「拉致問題は時間的制約のある人権問題だ」と付け加えた。拉致だけに時間的制約をつけた。つまり、先にやりますよっていうメッセージです。

阿比留　実際に今、北が核を手放すわけがないですから。

西岡　手放させるには、おまえを殺すぞと脅すしかない。トランプはそれをやろうとしたから、金正恩は動いた。

岸田文雄首相は二〇二三年五月二十七日、北朝鮮による拉致問題の「国民大集会」に出席し、「首脳会談を早期に実現するため、私直轄のハイレベルで協議を行っていきたい」「私自身、条件をつけずに金正恩氏と直接向き合う決意だ」と表明した。それが土曜日だった。すると、五月二十九日朝、北朝鮮の朴尚吉外務次官の名前で、「日本が新たな決断をし、関係改善の活路を模索しようとするなら、両国が会えない理由はない」という談話を発表しました。

私は、北朝鮮の外務次官の「〝会えない理由がない〟という表現も重要だと思いますが、それよりもわずか二日後に反応があったことが重要だと考えます。北朝鮮で〝日本の新たな決意〟に対して、〝会えない理由はない〟という声明を出すためには、絶対に金正恩の決裁が必要です。土曜日の午後二時半に岸田さんが発言したことについて、月曜日の朝一番には返事が出た。土曜日、「国民大集会」の場所に北朝鮮の人間が来て、テープ起こしをして、朝鮮語に訳して平壌に送り、金正恩に見せた。そのためには金正恩が、「岸田が何か重大なことを言うようだから、俺にすぐ持ってこい」と命令していなければ、休みの土曜日に金正恩に伝わらない。決裁をもらいたい人がいっぱいいるのに、最優先で持ってこいという命令が既にあったわけ。しかも岸田さんの発言を原稿に入れた返事が書いてあるということは、それは、岸田発言の後しか書けない。これは、岸田首相と金正恩の間で、その前に何らかのコミュニケーションがあったとしか思えないような早さなのです。

北朝鮮とは既に秘密裏の交渉が進んでいる可能性が高い

阿比留　その後、北朝鮮外務省傘下の日本研究所の名前で六月七日、「拉致問題は解決済み」と主張したとの報道がありました。その直後のＮＨＫの『日曜討論』での出席者は、

「拉致問題の解決は望み薄です」と、みんなが一斉に同じことを言っていましたよ。

西岡　その研究員の過去の発言を調べてみたら、日本政府が国際セミナーをやったときには絶対に出てきて、「拉致は解決済み」と言う男なんですよ。新しい命令が出ていない以上、その男はそういうことを言う役割。でも、先ほどの岸田さんに回答した外務次官は、「会えない理由がないということを言え」と命令されたから、やった。NHKに出てくる専門家は、わかっていないんですね。

阿比留　そういうことだと思うんです。

西岡　おそらく、水面下でコミュニケーションをしているのではないか。つまり本気になって交渉しようと思ったら、公開の交渉はできない。北朝鮮は「何人生きている。じゃあ、食料や肥料を幾らくれるんだ」という話をしなくちゃいけない。でも、「死んだ」と発表した人が生きているということを言える権限は、トップにしかないわけです。たとえトップから権限を任されていたとしても、その人間の政治的な生命だけじゃなくて、物理的な生命だって危うくなるような、キリキリしたような交渉が必要です。局長級協議のように、終わった後に記者会見するような協議ではない。取引の内容が決まった後、局長級協議があって、岸田さんが行くということになる。そういうことが今、起きている可能性が高いと私は思っています。

阿比留　過去の三つのケースとはまったく違いますね。バックにアメリカがいない。

西岡　でもアメリカの理解は必要。日本はアメリカの核の傘で守られているわけですから。だから、二〇二三年五月に我々は訪米した。それでアメリカの国務副長官にまで会って、人道支援を使うということなら理解できるということになった。核問題でかかっている経済制裁に違反しない範囲の人道支援を使いたいと伝えた。それは親の世代がもう二人しか残っていないからだ、と伝えました。アメリカの国務省とホワイトハウス、上下両院の有力議員、民間専門家らも、みんな賛成してくれました。

阿比留　日本政府として北朝鮮に対する経済制裁は、どういう状態にあるんですか。

西岡　まず国連制裁がある。国連制裁は、北朝鮮から買ってはいけないもののリストが書いてある。あるいは売ってはいけないもののリストがある。それをどんどん厳しくしたわけです。二〇一七年十二月にかなり厳しくして、北朝鮮の輸出は、以前は年間三〇億ドルぐらいだったけれど、それが三億ドルぐらいになった。日本は全てのものの輸出・輸入を禁止している。それから船の入港も全て禁止。それは国連制裁より厳しい。拉致が理由です。そういう点で、日本は世界一厳しい制裁をしている。ですが、当時は中国もロシアも、北朝鮮が核実験を二年間で三回もやったこともあり、国連制裁に拒否権を使わなかった。ところが、自分たちで決めた国連制裁を、いま中国とロシアは公然と破っている。そもそも北朝鮮と武器取引しちゃいけないのに、ロシアは武器取引している。自分が決めた制裁を、自分で破っている。

阿比留　岸田さんは、トランプ時代の外務大臣だった。すべてを知らされているというわけではないにしても、安倍さん時代からのかなりの部分——経緯を知っている。そういうことを踏まえて、いろいろ考えてくれているんだろうと期待しています。

西岡　少なくとも、核問題と拉致問題を切り離すメッセージを公開の席で北に投げかけたのは岸田さんが初めてです。櫻井よしこさんが『月刊ウイル』二〇二三年一月号の対談で、岸田さんに「時間的制約のある人権問題と言いましたよね」と念を押した。岸田さんは、推敲を重ねてつくった金正恩へのメッセージだとしたうえで、「拉致問題は別次元で扱う」と言っています。そういう戦略を、松野官房長官が拉致担当大臣として、かなり主導してつくったようです。松野さんというのは昼行灯みたいに見えるけれど、拉致についてはものすごく思い入れがある。自分は拉致担当大臣だという意識が強いんですね。

阿比留　マスコミは報道しないけれど、松野官房長官は割と官僚の評判はいいですね。二〇二三年九月の内閣改造で、松野さんは変わるかもしれないという話があったけれど、最終的に変わらなかった。いろいろな理由があると思いますが、水面下で交渉があるとすると、担当大臣を変えないほうがいいと岸田さんが判断した可能性もある。

この問題については、名前は私、直接じゃなくて、また聞きだから言えませんけれども、数カ月前に政府高官の一人が、拉致問題が動くみたいなことを言っていた。

一方で、先日、動画番組「文化人放送局」に前衆議院議員の長尾たかしさんがいらした。長尾さんが心配しているのは、拉致被害者二人とか何人かだけで決着するんじゃないかと。本丸の横田めぐみさんではなくて、政府が公式に認定していない、よく知られていないような人を出してきて、これでおしまいみたいな。

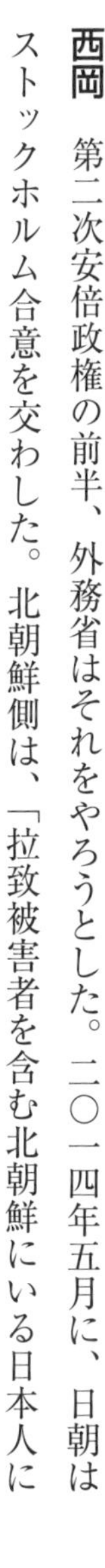

岸田外交は、大きく見れば〝安倍外交〟だ

西岡　第二次安倍政権の前半、外務省はそれをやろうとした。二〇一四年五月に、日朝はストックホルム合意を交わした。北朝鮮側は、「拉致被害者を含む北朝鮮にいる日本人に

ついて調査するから日本がかけている制裁を一部解除してくれ」と言ってきた。特に「朝鮮総連を中央本部の建物から追い出さないでくれ」と言ってきた。総連中央本部は朝銀信用組合の破綻で、競売にかけられていた。総連の不法活動を厳格に取り締まるという、第一次安倍政権以来の圧力の結果です。

つまり圧力が機能して、北朝鮮は拉致での交渉に出てきた。だから制裁が効いたということだけれど、そのときに北朝鮮は「田中さんと金田さんという二人の被害者が生きている」と水面下で伝えてきたという。田中さんは認定被害者だけれど、小泉訪朝があった二〇〇二年九月には認定されていなかった。つまり、金正日があのとき、「蓮池さんたち五人は生存、横田めぐみさんたち八人は生きているけれど秘密を多く知っているから死亡と通報しろ」と決裁した。そのリストに田中さんは入っていない。金田さんは在日朝鮮人。日本籍でないから、日本の政府の正式認定に入らない。その二人が生きているという話を、北朝鮮は密室の交渉の中で伝えたが、安倍政権は二人の生存情報を表に出さず、交渉は決裂したという情報が漏れてきた。そのことを共同通信に誰かがリークして、そして有田芳生議員（当時）などがそれを使って国会で安倍さんを責めた。政府は「交渉の中身は話せない」と答えていた。

安倍さんがああいう形で殉職して二〇二二年九月十七日、小泉訪朝の二十年目というときにマスコミがいろいろインタビューした中で、ストックホルム合意のときの外務次官だった斎木昭隆さんが、そういう情報がありましたと朝日新聞に話した。

僕は本当に腹が立っている。これはもう、いろんな所で書いたりしゃべったりしているから繰り返しになるけれど、安倍さんが総理を辞めた後、私が、一対一で聞いたのは「確かにそういう話はあった。ただし、これで終わりにしろという条件だった。そんなことを呑めるわけがない」という内容だった。めぐみさんたちが死んだという証拠がないのに、死んだと認めるということ。そんなこと呑めるわけがない。でも斎木さんたちは、その「終わりにしろ」という部分は言わないで、それも終わっていない外交交渉の機密を次官までやった人が漏らした。

阿比留　斎木さんとは思えないですね。

西岡　だからそういう点でも、松野さんが官房長官というのは安心できる。当時、古屋圭司さんが拉致問題担当大臣になったけれど、国家公安委員長だった。だから古屋さんを完全に蚊帳の外にして、外務省が進めた。でも今は官房長官だから、外務省に対しても権限があるわけですよ。

阿比留　官房長官の権限は強いですからね。

西岡　本当に安倍さんが死んだ後、ひどい話をする人が増えている。

阿比留　福田康夫さんとかね。いろいろな人が、安倍さんが反論できないのをいいことに、「死人に口なし」とばかりに自分たちのストーリーをつくって自己正当化している。

西岡　拉致問題は、本当にまだ終わっていないこと。岸田さんや松野さんは、息を飲むように北の反応を見ているから、そんな支持率対策や政権宣伝に拉致問題を使わない。真剣に動いている。交渉事ですからね。

安倍政権の最後のほう、菅さんが官房長官だったときに拉致問題をどうすればいいかという話をしたときに、いま岸田政権がやっていることですけれど、「親の世代の家族が亡くなった後に、被害者を返しても日本中は喜びませんよ、ということを北に伝えてください。あなたたちが拉致被害者を人質にして何かを得たいなら、もうあなたたちのほうにタイムリミットが来ている。そう伝えることが重要だ」と話した。菅さんは、「わかった」と言った。きっと、水面下で伝えてくれたはずです。岸田さんはその延長線上で、「時間的制約のある人権問題」と公然と発言した。

実は、菅さんが官房長官のときから、今の核ミサイルと切り離す路線は始まっていた。

公開の席で拉致を核ミサイルと切り離す発言をするにはアメリカとの調整は必要だったでしょうし、米朝が先に進むかもしれないということを念頭に置いて、慎重に進めた。その点、岸田さんはある意味で運がいいというかね。拉致問題は菅さんが続けていたとも思うけれど、岸田さんがこの安倍・菅の敷いた路線の中で最後の収穫をしようとしていると したら、それはいいことですね。

阿比留　ちょっと次元の低い話をしますけれど、よく菅さんと岸田さんは犬猿の仲だと言われます。菅さんが敷いた路線を岸田さんが引き継いでいるというのはパーソナリティー的には意外と思う人が多いかもしれない。

西岡　でも、真面目に考えたら、この方法しかない。

阿比留　まず、菅さんが岸田さんのことを全く評価していない。確証はないけれど、岸田さんは、ただそれはそれとして、政策判断としてその方法を取るべきだと思ったら、当然取るということですよね。

西岡　私は、岸田さんが変なことをやりそうだったら、菅さんをはじめ、これまで拉致問題解決に尽力してきた与野党政治家に会いに行きます。岸田政権がそれこそ二人で終わらせるようなことになったら、党内や国会で暴れてもらわなくちゃならない。でも今のところ、その必要は全く感じていません。

阿比留　そういう危惧を抱く人は当然いるわけだし、私もそんなこと、万が一でも嫌だなと思うけれど、選択肢として二人で終わらせても、拉致被害者家族も国民も喜ばない。

西岡　岸田さんに対して厳しい見方をする人は、「人気取りだ。支持率が上がらないから、拉致問題解決でウルトラCを狙っている」と言いますが、いま説明したとおり、その見方は間違っています。

阿比留　拉致問題は、合理的に考えたら人気取りにならないんですよ。外務省は人気取りを考えていなくて、国交正常化という自分たちの目的を果たそうとしているからやる。けれども、早紀江さんがめぐみさんと抱き合う場面を演出すれば人気取りになる。

西岡　めぐみさんと早紀江さんが抱き合うことが実現したら、岸田さんはもう歴史に名を残しますよ。

阿比留　岸田さんは憲法改正も含めて、下準備は安倍・菅さんでできている。あとは収穫をうまく刈り取るチャンスなんです。下駄を履かせてもらって、大宰相の名前が残るかもしれない。大きく見れば岸田さんの外交は、安倍外交なんですから。安倍政権の外務大臣だったのですから。

第五章　なぜ岸田文雄首相は叩かれ続けるのか

ＬＧＢＴ法の成立は誰も喜んでいない

阿比留　岸田文雄首相は就任から二年間で様々な政策を閣議決定し、法律を成立させ、それにより波乱が起こっています。ＬＧＢＴ法なども含めて、いろいろ進められています。いいか悪いかはともかく、すごく仕事をしている印象はありますね。

西岡　岸田さんはまだ増税していないにもかかわらず、「増税メガネ」というネガキャンが張られていますね。「まだ増税はしていないけれど、後に控えているに違いない」という憶測が流れている。そして、何より支持率が低下してマイナスに触れたのは、ＬＧＢＴ法を成立させたことが大きいと私は思います。『月刊ウイル』二〇二三年十二月号でジャーナリストの櫻井よしこさんが岸田さんと対談されて、ＬＧＢＴ法を非常に懸念している想いを総理にぶつけています。

総理のそれに対する答えは、「欧米諸国で〝揺り戻し〟が起きていることも承知しています。基本計画と指針を策定するなかで、具体的な懸念を解消していきたい」と答えていますね。産経新聞の二〇二三年二月二十日の調査では、見出しが「ＬＧＢＴ法案、同性婚法制化、自民支持層の過半数が賛成」となっている。自民支持層のあいだでは、最初はこういう世論だったけれど、成立したら、ものすごい自民支持層の岩盤保守層が離れた。阿比留さんは確か産経新聞か『正論』で、「ＬＧＢＴ法の成立について、非常に不満がある」と書かれていましたが、その真意をお聞かせください。

阿比留　昔の話をすると、例えば小泉内閣の皇室典範のとき、女性・女系天皇容認の話で、世論は当初、女性・女系天皇容認が圧倒的に多かった。ところが、それが皇室の伝統とは違うとか、あるいは皇室の在り方が根本的に変わってしまうとか、いろいろなことがわかってきたら、どんどん比率が変わっていった。ＬＧＢＴ法も、同じような流れになっていると思います。

この法律の論点は幾つもあるわけですけれども、結局、女性の権利と保護が危うくなることに関して、産経新聞は、比較的以前から取り上げていました。ところがマスコミは、安易に性自認を認めるとなりすましのトランスジェンダー女性に利用されることなどほとんど取り上げてこなかったし、いまだにテレビ、民放、ＮＨＫも含めて、その視点を取り上げない。法案がどのような可能性というより、危険性を持っているかという理解が広がると、反対は増えてきた。そうなるだろうといったことを、私たちはずっと言ってきたわけです。その通りに、今はなっています。

法律の中身は、確かに岸田さんが櫻井さんに言ったように、ガイドラインなどを整備することによって抑えることができるし、かつ過激な活動家が地方自治体に入り込むことへの抑えになるという理屈が後から来て、それは正しいとしても、どうしてそのことをきちんと説明せずに、衆参両院で各一日で審議を閉じて可決です、という進め方をしたのか。それに関して、岸田さんは「これは議員立法だから、私は知らない」という態度でしたよね。

西岡　一方で稲田朋美さんは、「これは総理の指示だ」と言っていましたね。

阿比留　その通りなんです。自民党幹部たちも、それを半ば隠していないわけですよ。それなのに建前だけで、疑義の多い法案を通してしまったと。これは、また同じことをやるんじゃないかという不信感を生む。岸田政権はこれからも強行的に、民主主義の手続きをきちんと踏んで審議をすることもせずに何かをやるんじゃないかという不信の種を、撒いてしまった。それが根本的な、大きなミスでした。それについては木原誠二さんが吹き込んだとか、いろいろな説がある。真相は定かではないんですが、アメリカからの圧力があったという説もありますね。

真相については、わかりません。私の取材はそこまで及びませんが、危惧した通りになった。法案が通ったとき、まだ反対派は多くなかった。私は「じわじわと来ますよ」と言ったけれど、その通りになっている。

西岡　私は、自民党の側でこの法案を通す役割を担ったある人から、直接聞きました。その人は官邸に裏から呼ばれた。それで岸田さんから「中身はなくてもいいから、法案は通してくれ」という指示があったと言っている。岸田さんがその人に言った内容として私が聞いたのは、前回のサミットのとき、非公開の集まりで「日本は遅れている」とイジメられた。一種の黄禍論(こうかろん)ですね。それに対して岸田さんの反応は「他の六カ国もＬＧＢＴ法は持っていないくせに、はぁ？」という感じで、日本に対する差別だと思ったが、やっておかないとまたイジメられるかもしれない、という理由のようですね。

阿比留　なるほど。しかし、それは情けない対応です。

西岡　だから、ＬＧＢＴ法案を通しましたと広島サミットで言いたかった。しかし、中身はスカスカにしといてくれ、実害がないようにという指示だったという話を聞いた。たぶん、安倍さんだったら「何を言っているんだ。あなたたちの国だって通してないでしょ」とサミットで言うでしょう。

萩生田さんは、じっくり時間をかけて審議すると言っていたわけですよね。岸田さんの指示もあって法案をまとめたけれど、時間をかけて国会で審議すると言っていたのに、萩生田さんのメンツを丸つぶれにしてしまった。

審議を一日でやめてしまったじゃないですか。私たちが応援しているような人たちのメンツも潰されてしまった。「実害はないだろう」と言うかもしれませんが、広島サミットを意識していたのは間違いない。サミットの前に上げろという指示を岸田さんがしたので、やらされたほうは嫌々やっているし、そこに批判が集まっている。朝日新聞のようにLGBTの側に立っている人たちも、嫌々やっているのがわかるから、よくやったとはならないし。

阿比留　よく言われたように、誰も喜ばない結果になった。

西岡　朝日新聞も喜んでいない。

阿比留　あと、LGBT活動家の人たちも、みんな批判していますね。無理やり法律を通す役割を果たすはめになった人々も損をしたし、女性や子供は公共の場で身の安全が脅かされかねないし、活動家には不満な内容だし、新しい法律の必要性など感じていなかった当事者も、誰もありがたがらない。

西岡　やるなら本気で、「こういうものが日本にとって必要だ」と説明すればよかったのに。岸田総理が自民党の総裁として、期限なんか切らないで徹底的に党内と国会で議論させるべきだった。それほど被害がないようにと、日本会議がつくった案をベースにした野党案を最後に自民党が呑んだ。だから、これからガイドラインなどで知恵を絞れば、女性の権利を守れるようになる可能性はあると思いますけれど、いかにもやり方が拙速（せっそく）でした。

少数者の権利を守ることと、女性のほうが弱者ですから、女性の権利を守るということとのバランスを考えて、みんなで知恵を絞らなくちゃいけないというプロセスが、まったくなかった。

阿比留　なかったですね。権利と権利が衝突する場合は往々にしてあるもので、その場合は調整が政治の役割なのに、そこをすっ飛ばした。あと、腹が立ったのは萩生田さんたちが悪者になっちゃったこと。それに対して岸田総理は、知らん顔をしている。それで、保守派の人たちからも、あんなやつ信用できないとなっちゃった。これは、やり方として良くない。

しかも、今回の、性同一性障害の人が性別を変えるためには生殖能力をなくす必要があるという特例法は憲法違反だという、最高裁判断にも関わっている。四年前と違う最高裁の判決を出すとき、それからの社会の変化もあったと、そう書いてある。四年間で何が変わったかといったら、この法案しかない。LGBT法も通ったし、みたいな。だから弊害はないとか、何も変わらないとか、そんなことは絶対にない。でも、通ってしまったものは仕方なくて、その後はこれをいかに無害化するかということになる。でも、最高裁判決は大きいですからね。

岸田さんを支えようとしていた人たちを突き放した形に

西岡　今回の性同一性障害特例法の五要件のうち、不幸中の幸いは、五番目の「変更後の性別の性器に近い外観を備える」が差し戻されたことです。

阿比留　でも、どうなるかわからないですよね。サミットの件もあった。先日、広島に行ったときに岸田さんの後援会の関係者で、家族ぐるみの付き合いがある人と話していたら、「岸田さんの奥さん、裕子さんはバイデン夫人に呼ばれてアメリカに行ったでしょ？　行く直前に、行動を共にして普段おしゃべりでいろんな話をするのに、アメリカに行くのはいいけれど、ＬＧＢＴの話だけは呑んじゃ駄目だよ」とクギを刺したら、帰ってきてから奥さんは黙り込んじゃって、一言も発さなくなったらしい。状況証拠にしか過ぎませんが。

西岡　バイデン夫人は活動家みたいな人だそうですね。

阿比留　そんなことが見え隠れしている中で、無理やりやるというのは、政治の手法としてカッコよくない。

西岡　それでも岸田政権はよくやっていることも多い。菅さんのときもそうでしたが、マスコミがそれをきちんと伝えず、印象操作で政権叩きをする。菅政権も、一年間だけれど仕事はすごくやった。菅政権じゃなかったら、東京オリンピックはできなかっただろうし。あれだけ泥をかぶって、本当は東京都がやるべき、知事が表に出るべきなのに、知事は出ないでね。でも、その仕事は評価されないわけですよね。私、菅総理に拉致問題で呼ばれたとき、拉致問題の用事が終わった後、「仕事をすれば国民は理解してくれる」という話をされるから、「日本のマスコミはアンチ安倍だから、自動的にアンチ菅になる。マスコミは足を引っ張るだろうから、自身で広報をしたほうがいいですよ」みたいなことを話した。

阿比留　安倍さんの第一次政権が終わったとき、私は産経新聞に「安倍さんは、いつか国民もわかってくれると思っていたが理解されなかった」と書いた。そして、第二次政権ができて、しばらくしたら安倍さんが民放番組で、「以前はいつかわかってくれるという考えがあった」というようなことを言っていたわけですよ。しかし第二次政権以降、その考えを安倍さんは捨てている。こちらから殊更言わなくても国民はいつか理解する、という甘い考えを捨て去った。

西岡 コロナパンデミックの非常事態の中で東京オリンピックをやるだけでも大変だったのに、直前まで大騒ぎの反対をして、それをワイドショーがワーワーと煽ったじゃないですか。東京オリンピックが終わったら、もう誰もやるべきじゃなかったとは言わない。

阿比留 朝日新聞は東京五輪班をつくって、とにかく変異株とか不祥事とか、そういうネガティブなネタを探しまくったことがありましたよね。

西岡 岸田政権の支持率が下がったのは、LGBT法もあるかもしれないけれど、それは左からは叩かれる理由ではないので、もう一つは国葬を決めたことだと思いますよ。安倍総理の国葬を決めた。

阿比留 ワイドショーは目茶苦茶叩いていましたね。

西岡 支持率は、保守だけで取っているわけじゃないんですから。それまでは全体としてフワッとしていて、岸田政権は安倍さんと違ってハト派なんじゃないかという雰囲気があった。だから、左派が支配するマスコミは叩かなかった。安倍国葬決定で、それがなくなってしまった。

阿比留　最初は支持率が高かったんですよね。風向きが変わったのは、国葬を決めたとき。あれから、明確な攻撃対象となった。

西岡　もう一つは、支持率が上がったのは広島サミットでしょ?「核のない世界」を打ち出したら上がった。全体の風潮は今の厳しい国際情勢の中で、日本がどう生き残るかと考えている人が多数じゃないんですよ。

阿比留　つまり、岸田さんが積極的に好きだとか評価するわけではないんですが、岸田さんしかいないから岸田さんを支えようと思っていた人たちを、突き放した形になったわけですよね。しかも、安倍さんが生きている間は、「岸田さんが潰れたら第三次安倍政権になってしまうかもしれない。それはもっと嫌だ」というマスコミが大半だったのが、安倍さんが亡くなったから大丈夫だとなった。だから、左側も岸田さんのことを平気で叩けるわけです。岸田さんだから叩かれているというのも違うと思う。安倍さんが亡くなったために、アンチ安倍の人たちに叩かれ始めた。菅さんも、アンチ安倍の人たちに、五輪だけではなく、いろんなことで目茶苦茶叩かれた。

西岡　ひどかったですよね。

ちゃんと審議すれば、こんなことにならなかった

阿比留　ＬＧＢＴに関連して付言すると、今回、岸田首相の指示の下で動いて泥をかぶった人の一人に古屋圭司さんがいます。

西岡　古屋圭司さんは、実は安倍政権時代から党の公約にＬＧＢＴの理解推進法を掲げていて、安倍総理の指示のもと、七年越しで、ずっと進めてきたそうです。その大きな理由は、「自治体への活動家の入り込みが半端でないから、これをなんとか食い止めることが一番の狙いだった」と言っています。

阿比留　古屋さんは折々に、安倍さんにこの問題に関して相談には来ていましたが、その後、安倍さんが私によく「古屋さんは、まだ甘いんだよね」「理解していないよね」などと言うことがあったんですね。

西岡　「理解していない」というのは、前のめり過ぎるということですか？

阿比留　「古屋さんは細かいことが、よく把握できていない」と言っていましたよね。例えば、性的少数派への差別問題について、安倍さんがこういうワードを使ったと衆議院法制局が古屋さんにレクチャーして「大丈夫です、同じラインです」みたいなことを古屋さんに伝え、それを古屋さんが「総理もおっしゃったんですよね？」と安倍さんに訊いたことがあった。安倍さんが「あれ？　俺、そんなこと言ったかな」と思って秘書官に調べさせたら、実は言っていなかったりする。そういうところで、「古屋さんたちは警戒心が弱いっていうか、付け入れられるよね」という趣旨のことは言っていましたよね。

西岡　古屋さんが言うには、稲田さんが政務調査会長のときに進めたかったわけですよ。けれども、「稲田さんは暴走しちゃうかもしれないから、古屋さんがお目付け役になってくれ」と。

阿比留　安倍さんが？

西岡　「変なふうにならないように、古屋さんがやってくれ」と言われたから、稲田政調のときの特命委員会の委員長になったと聞いたんです。それでずっと議論をしているから、ひな壇に座っていたわけですよ。その中でまず理解推進法にして、稲田さんがやりたかった差別反対法にしないとする公約は入れていましたね。けれども、実害について、だんだんわかってくる中で、緊急避難で今回の野党修正案に乗ったということですが、本来なら自民党がそのことを踏まえた、きちんとした法案を出すべきでしたね。

阿比留 維新と国民民主の案ですね。それまで、ずっと議論して問題点があるってわかっていたのだから、あんな法案をまとめちゃ駄目なわけでね。審議の中でもう少し厳しいものがあるとわかってきた。それなのに、こっちがいいからと維国案に乗ったこと自体、自民党の政策議論がなんだったのかってことになる。それはすべて、岸田さんが期限をつけてやれと言ったからで、責任は岸田総理にある。

西岡 それまでの経緯の中で、何かやる必要があったかどうかについて、私は専門家じゃないから判断できませんが、今回みんながっかりしたのは、あまりにも拙速だと。いろいろな議論が出てきて、拙速ということを自民党が認めたから、国民民主と維新の案に乗った。本当にあと六カ月ぐらい、次の国会に延ばしてやればよかっただけの話だと思いますよ。

阿比留 結論は、そうなんですよ。私が萩生田さんに「結論が同じになったとしても、ちゃんと審議すれば、こんなことにならなかったのに」と伝えたら、その通りだって萩生田さんも言っていたわけですよ。やりたくなかったわけですね。それは全部、岸田総理の責任で間違いない。稲田政調のときがあって、その稲田さんが特命委員となって、立憲民主の西村智奈美さんと妥協して目茶苦茶な案を持ってきた。それが大騒ぎになったのは二、三年前ですよね。そのときに安倍さんは、下村さんが政調会長だったけれど、「こんなものは、ピンと勘が働いて、政調でストップをかけなきゃ駄目だ」と。「下村君もわかってないな」みたいなことを言っていたわけですよね。

正しいことを決めていても、その過程で無闇にぐるぐると回る

西岡　安倍さんは「とにかく性自認とか性差別禁止とか、それは絶対に駄目だ」と言っていた。それで稲田さんが、「もう野党の人たちと決めてしまいました。私に恥をかかすんですか！」と安倍さんに迫ったようですね。

阿比留　安倍事務所で泣き喚(わめ)いているんですから。そういう経緯もあって、安倍さん自身も、当初は選挙公約に入れましたが、次の参院選では公約から外しているんですね。だからＬＧＢＴ法の危険性は、そこでわかったわけですよ。安倍さんが生きていて、岸田さんの相談に乗っていれば、もっとうまい落としどころはつけられたと思います。今さら言っ

ても仕方がないことですが……。

西岡　他方、岸田政権の支持率が落ちている理由は、安保三文書はよくやっているし、処理水のことも前の政権が決めたことであるけれど、批判されることがわかっていながら、日本にとって何が必要なのかということを決断し、仕事をしている部分はありますね。

安倍政権や菅政権が決めたことをやっているだけだけれど、政権は延長線上にあるから、日本にとって絶対に必要だけれども、歴史に残る安全保障政策の転換をしたわけではない。それでも安保三文書を改定したことと、敵基地攻撃能力、反撃能力を認めることをしたのは、それはたぶん五十年ぐらい経ったら、岸田政権の功績として残りますね。安倍政権の功績ではなくて、岸田政権の功績として歴史に残る。

阿比留　内閣支持率は、私はずっと前から言っていますが、あまり意味がない。例えば、森政権で内閣支持率が相当低い二〇パーセント台のときでも、衆院選は大勝している。つまり、自民党に投票する可能性のある人の支持率を高めておけばいいだけの話。岸田さんの支持率が高いときだろうと、低いときだろうと、全体の支持率は関係なく、本当は投票所に足を運んで「自民党」と書く人を引き留めておくようにするのが必要だったんですよ。ところが、今回の衆参補選の結果、産経新聞も書いていましたけれど、無党派の保守層が離れた。安倍さんがいつも言っていたのは「無党派の保守層が一番大事」だと。自民党の党員とか、業界、団体だけ固めたって、仕方ない。足りないんですよ。そうではなくて、「自民党を積極的に支持しているわけじゃないけれど、安倍政権だから入れよう」とか、「自民党政権のほうがましだから入れよう」とか、そういう層を固めなきゃいけない。それなのにまったく逆行することをやってしまったのが、岸田政権に対して非常に危惧しているところなんですよね。

西岡　経済対策の方針を岸田首相が表明されて、一番大きかったのは所得減税。あと、低所得者層向けの給付金。これらについて、「しょぼい」とか、「なんで消費税減税しないのか」とかの声がある。

阿比留　しょぼく見えるのは、打ち出し方とタイミング。「増税メガネ」と言われて、嫌々出したみたいな雰囲気になっちゃうと駄目ですね。岸田さんは最終的には正しいことを決めていても、その過程で無闇にぐるぐると回るから、国民に評価されにくい。あと当初、「防衛増税」と口を滑らせてしまった。

西岡　党で決める前から、防衛費増大のための負担は「国民の責任だ」と。

阿比留　最近はあまり言う人もいませんが、いわゆる防衛国債という名の建設国債を発行するとか、そういう議論のさなかだったのに、結論を言って反発を買ってしまった。振り付け役だった木原誠二さんが、どうしていたのかわかりませんけれど。ＬＧＢＴに関しては木原さんの勘違いもあったと思いますよ。

西岡　そうなんですか。どういう点ですか。

阿比留　『月刊ウイル』で元内閣官房参与の加藤康子さんと木原さんが対談していますけれど、加藤康子さんが木原さんに「今回のＬＧＢＴ法に関しては、これまで政治にどうこう言わないような人までもが、私のところに『どうなってるんだ』と怒ってくる」と言っていました。木原さんは「普通の人が、ですか？」みたいなことを言っていた。木原さんは普通の人が問題にしているという意識が全然なくて、一部の跳ねっ返りの右翼が何か言っているぐらいに思っていたようですね。

その反応を見ながら、わかっていなかったんだなと思いましたね。だから、岸田さんは最初から結論がわかっていることを、なぜ悩むんだっていうふうには思う。それが岸田流なのかもしれませんけどね。

評価すべき点は評価する

西岡　元々、「検討使（遣唐使）だ」と揶揄されていましたしね。さっきの減税の話に戻りますけれど、所得税が定額で子どもにまで四万円というのが、よく論理がわからなくて。所得税は所得にかかるものじゃないですか。子どもは不要でしょ。

阿比留　不要です。

西岡　設計自体がわかりにくいんですよ。所得税減税といったら、幾ら所得がある人が、その比率が変わるとか、そうじゃなくて所得税を払っている人に家族一人当たり四万円を配りますって話でしょ。配り方を所得税の減税方式を取って、所得税を払ってない人に七万円配ります、と言っている。それは減税じゃないですよ。給付ですよね。

阿比留　取ったものを配ることばっかりやって、トリガー条項の撤廃とか、そういうのは絶対にやらないという姿勢を最初にとったのが問題。要は岸田さんが意識していることではなく、財務省がそうしたがっているのかもわかりませんが、とにかく取れるものは取る、みたいに見えてしまう。

西岡　税収で一番増えている部分は消費税。消費税は等しく取りますから、だから若者世代とかが所得が上がった感じがないわけですよ。税収が増えた分、還元するならそれが何なのか。法人税収が増えているのなら法人税を安くすればいいのに。

阿比留　法人税も増えているんですか?

西岡　増えていますけれど、増え方は消費税収が一番多い。だから、経済は成長して就職できるようになって、いい方向に流れているんだけれど、物価が上がっているので豊かになった実感がない。

給料が上がっても、物価が上がった分を上回らないと、実感が沸かない。消費税率を下げれば、税込みの物価は下がります。だから、税収が上がってきて、その中で、一番上がり方が多いのが消費税だったら、それを当面八パーセントに戻すとかが本当の減税。今回のことを減税って言うけれど、これは給付です。一回きりの給付ですよ。貧しい人に配慮するなら、生活必需品である食料品の消費税をゼロにしたら、一番助かる。

物価対策の給付だと言うのなら、それもわかりやすいと思う。それは一つの政策だけれど、それと将来の税設計とは別。でも財務省は絶対に、取れるシステムは壊さない。臨時に配ることだけは許可するという感じだから。

阿比留　岸田さんは財務省に対しても、突っ跳ねたり、いろいろやっているはずなんです。やっているとは思うけれど、全体的に見ると、それすら財務省の手のひらの中なんじゃないかというふうに見えちゃう。見え方、見せ方もあるけれど、それが岸田さんのスタイルなのかなと、私は半分諦めていますけどね。本当はもっと開き直って、私はこうしたいんだと言えばいいのです。

西岡　消費税について付言すると、税率を変えると現場の混乱は大変だと指摘する方がいますが、例えば八パーセントに全部するだけだったら、そんな混乱はないような気もするんですが。ただ、「消費税を廃止しろ」と叫ぶ一部野党は、あまりにも無責任ですよね。

阿比留　れいわですね。れいわは首尾一貫して無責任だから、相手にしなくていいんですけれど。

　岸田政権に対しては、評価すべき点は評価して、そのときに称賛してはいるんですよ。原発処理水のことも、菅さんが引いた路線だとはいえ、ちゃんとやったなと。汚染水呼ばわりして一時的に反発している人もいるけれど、結果的に国民はみんな支持していますよね。海外広報も、上手くやった。

西岡　日韓関係の章で言いましたけれど、謝罪せずに歴史問題を解決したのはすごい功績。安倍さんでさえ、慰安婦合意のときは謝罪しましたからね。今回は頭をひねって、「歴代の歴史認識を継承している」としか言いませんでした。もちろん、これ以上謝らないとした安倍談話も継承しているということです。でも、安倍さんもできなかった、謝罪という言葉を使わないで、歴史問題を解決したのは、大きく、大きく、私は評価します。

広報力を高めるために何をすべきか

西岡　岸田さん、先日スーパーに行っていましたね。秘書官たちが良くないと思うけれど、物価高がずっと言われて一年くらい経ってから「高いね」みたいなことを言われても（笑）。

阿比留　ちょっと間抜けな印象でしたね。

西岡　いや、本当に、そう感じたのかもしれませんが、だったら、もっと早くやれという。一年前に同じパフォーマンスをすれば、もっといいのに。先読みしないで現状の追認ばかりしている感じを、どうしても受けてしまう。別に文句を言いたいわけじゃないのに、つい文句を言ってしまうみたいな。

阿比留　前に、世耕弘成参院幹事長が代表質問で、総理は打ち出し方がよくないという話をしていましたよね。それが最大公約数的に多くの人が感じていることじゃないかと。

西岡　いい指摘でした。もちろん、うがち過ぎた見方をする人たちは、岸田側の人たちの出来レースだろうとか言うんでしょうけれど、でも、身内があういうふうに言うのは異例のことですよね。

阿比留　異例に近いですね。経済政策について、世耕さんが文句を言っているときに岸田さんは鈴木財務大臣の横に座って嫌そうな顔をしているのがテレビに映っていたから、あんまり印象は良くなかったです。

西岡　自民党には役員会があるんだから、そこでまず議論するべきで、与党の大幹部が国会質問で総理を批判するのはあまり良くない。私はわかりませんけれど、菅政権のときも、与党自民党幹部らは、どうしてもっと菅政権を支えないんだと思いました。菅政権はいいことをいっぱいやっているのに、自民党議員が先頭に立って、その実績をもっと懸命に伝えるべきだと強く思いましたね。自分たちが選んだんだから、少なくとも任期の間、自分に対する批判だと思って国民に対して説明をする側に回らなくちゃいけないのに、と菅政権のときは思いましたよね。

阿比留　国会議員はみんな一国一城の主で、地元の城主みたいな感覚がある。江戸幕府だって、別に徳川に各藩みんなが忠誠を誓っていたわけでもないわけですからね。

西岡　菅さんが最初に訪米したとき、アメリカ側のブリンケン国務長官とサリバン安保補佐官と、あとカート・キャンベルアジア太平洋調整官が、ブルーリボンバッジを付けて出てきた。だけど、ニュースにならない。同行した政治部記者は、その意味がわからない。私は大騒ぎしたけれど。でも自民党の先生方も、その意義をよく知らないから。私は、自民党の拉致部会でも言ったし、自民党の新聞にも書かせてくれとお願いして、「菅総理の拉致問題への必死の取り組みがバイデン政権に伝わった」と書いた。写真入りでね。菅さんは帰ってきて産経の単独インタビューで、向こう側はバッジを着けていたと。菅政権は拉致問題、最優先なんだということを外務省に言って、バイデン政権に伝えさせた。その答えがこれということを、菅さんは言っているんだけれど、PRしないから拉致問題解決を願う大多数の国民にまで、それが伝わっていかない。

阿比留　明らかに外務省でも、官邸でもいいけれど、スタッフが記者にアメリカ側はみんな着けていましたよってブリーフしたら、みんな書いたと思うんです。

西岡　総理の想いがスタッフに伝わっていなかったのは、確かにそうなんでしょうけれど、与党がもっと選挙区に行って「向こうが着けていたんですよ」とって言ってくれればいいのになと、私は思いましたけどね。だから、岸田さんがいいことをやっていることについては、その党やスタッフが広報しなくちゃ駄目だと。広報しない限り、伝わらない。

特に岸田政権が安倍国葬をやった以降は、左派メディアは敵になったので、できるだけ足を引っ張ろうとしている。だから、こちら側が団結して、いいことをやったって言わなくちゃいけないのに、岸田さんも、そういう状況なのに左派メディアのことも考えながら、あるいは国際的な評判とか考えて、ＬＧＢＴ法を進めようとして、保守を怒らせた。無理があるからガタガタになりますよ。

阿比留　安倍さんが、よく言っていたのは「左派にいい顔をしてみせても、そのとき、左派の人たちは拍手したり、褒めたたえたりするかもしれないけど、絶対に自民党には投票しない」と。だから、意味がないっていうことをよく言っていたんですね。だからマスコミをもっと使えばいいんですよ。マスコミ側だってニュースになるとか、これは面白いと思ったら、ちゃんと飛びつきますから。

西岡　『月刊ウイル』もマスメディアだと仮にすれば、先日の櫻井よしこさんとの対談、櫻井さんは厳しい聞き手ですから、いろいろ自分の懸念とかをぶつけて、対して岸田さんも曖昧にしているところもありますけれども、例えば景気対策について、賃上げに自分も取り組んでいて、民間も賃上げしたい経営者はいないでしょうから、国が働き掛けて賃上げをする会社に対しては法人税減税するとか、国が動かなきゃいけない——というようなことを大手マスメディアは報じてくれないでしょうが、こういうところでは発信できると思う。事実として賃金もすごく上がっていますし、国民負担率なんかも岸田政権下で二年連続で下がっている。そういうことってマスメディアは報じないので、発信しなきゃいけないと思う。

阿比留 しないですね。マスコミは全方位に目が配れるほど、人の頭数も能力もないですから。誘導っていう言葉は良くないかもしれないけれど、本当に書いてほしければ、レクチャーするぐらいの気持ちで接したほうがいいと思いますよ。

西岡 高橋洋一さんが、よくおっしゃっていますけれど、新聞記者はわかっていないと。

阿比留 高橋さんは財務省で、そういう情報をわざと流す役目をやっていたと言っているじゃないですか。だから、財務省側はやっているんですよ。外務省も記者を利用して自分たちが書いてほしいことを書かせようと働きかけます。マスコミだけじゃなくて、経済界から何から全部やっている。だから、それに負けないぐらい官邸もやらなきゃいけないんだけれど、岸田さんのスタッフが良くないのかな。岸田さん自身が、そんなに言葉を巧みに操るタイプではないから、真意をどうにか伝えたほうがいいと思います。だから安倍さんが、私とか他の何人かとかに、いろいろなことを喋ったのは、その中で取捨選択を相手がして、自分の真意を伝えてくれるのをわかっていたからって部分は、当然ありますよね。

西岡　ブレーンという言い方がいいのか……。そういう人が安倍政権のときは、いっぱい、いましたよね。

阿比留　確かに、そうですね、背景とか真意とかをきちんと説明してね。

西岡　本当に岸田政権に広報力があればと思うんですけれどね。

阿比留　菅さんも、そういうところがありましたけどね。安倍政権では、今井秘書官がそういうことを考えて、広報というか、情報を差配するのは自分の仕事だと思ってやっていましたよね。だから、NHKの政治部は完全に味方にしていた。官邸の中の、どうしてこんな所にカメラが入るんだ、国家機密漏洩罪じゃないかと思うようなところにまでNHKのカメラを入れていましたから。だから、そのニュースは特ダネになる。本当の特ダネは他社がまったく知らないことだけれど、三時間後にわかることでも、テレビでは特ダネです。テレビはそれでいいんですよね、早くわかれば。

西岡　必ずＮＨＫが打つというパターンでした。

阿比留　社内のその人のチームは、評価が上がる。さらに、それが政権のためにいいことだという、ウィンウィンの関係だった。だから広報をどう考えるかは、味方をどうつくっていくかということですね。

岸田政権の弱いところはポピュリズム

西岡　ついでにマイナカードのことを言わせてもらっていいですか。マイナカードで支持率が、一時期落ちたと言われた。確かに、そういう部分はあったと思うけれど、今はもう、大したことはないんですよね。みんな、もう忘れていると思いますし、ましてや、自民党に投票してきた自民党員や無党派の保守層が、マイナカードごときで政権を見放すなんてことはあり得ない。実害があるわけでもないし、何も困らない。マイナカードはマスコミが騒いで、限定的な効果は確かにあったけれど、それだけだと思いますね。

阿比留　マスコミが第一次安倍政権のときの「消えた年金問題」にしようと、チームをつくってやった。だけど、それほどのものにならなかった。

西岡　「消えた年金」は、自分の金がかかっていたから、国民は関心を持った。あれも全然、安倍政権のせいではなかったけれど。

阿比留　野党も「夢をもう一度」と騒いだけれど、そんなに数も多くないし、みたいな感じでした。でもワイドショーがワーワーやるから、紙の健康保険証を完全に廃止と言ったけれど、新しい証明書を発行するんでしょ？　それだったら紙の健康保険も両方使えるようにしておいて、マイナカードが九〇パーセントぐらいになってから、マイナカードだけとやってもよかったんじゃないかなと。

　マイナカードの件は、もっと大きく構えておけば、そのうち沈静化していた話だと思います。今も実質、沈静化していると思いますけれど。

西岡　あと、移民政策について。これもよく「増税メガネ」と並んで、「移民メガネ」という揶揄がある。要するに、岸田さんが留学生に対して甘いとか、あと外国人の移民を急激に進めているとか。

阿比留　就任して間もなく、「留学生は国の宝だ」と言いましたね。

西岡　小野田紀美参議院議員から質問を受けていますよね。「国の宝は日本人ですよね？」と。それは認めていました。

阿比留　移民政策というか、要は外国人労働者の受け入れは、経済界の要望がものすごく強い。地方自治体からも、いっぱい来る。コロナ禍のときも当初、中国人の渡航制限や往来規制が速やかに進まなかったのは、経済界の要請があったからでした。

西岡　外国人労働者の受け入れは、安倍政権のときから急激に増えていますね。

阿比留　安倍さんは、移民政策はやらないとは言っていたけれども、外国人労働者の受け入れは確かに増やしましたよね。

西岡　特定技能労働者は安倍政権下でやった。特定技能労働者も枠をつくらないと、不法滞在で働く人が増えちゃう。一方、人手不足だから雇う人がいっぱいいるわけじゃないですか。一定の秩序を持って、単純労働を使わざるを得ない。でも、その場合はプラス・マイナスをよく考えてやらなくちゃいけない。

今、誰も議論してないんですけれど、一般永住者がかなり増えている。こちらこそが、まさになし崩しの移民政策です。これに対して早急に手を打つべきです。

現在、外国人の長期滞在は三〇〇万人。そのうち約九〇万人が一般永住者。それに比べて、戦前から在留していた韓国・朝鮮人などの特別永住者は二十数万人まで減った。一般永住者はこの二十年間で一〇倍ぐらい増えた。一般永住者の三分の一は中国人です。

永住許可をもらうと在留資格がなくなる。つまり、それ以外の外国人はある在留資格で滞在を認められている。留学とか、あるいは特定技能だったら、この分野で働くとかいう条件がついている。だけど、永住者はなにをしてもいい。だから、朝鮮総連のようにデモや国会議員、マスコミへのロビーなどの政治活動も反日教育をする学校をつくることも自由だ。信用組合をつくるなど経済活動にも制限はない。そういう完全に自由な活動を認める永住者が、二十年前は八万人ぐらいだったのが、一〇倍に増えた。事実上の移民ですよ。労働ビザ与えているのと同じですから。国籍はないけれど自由に働けるのは、アメリカでいう市民権です。

阿比留　増えた理由は、平成十年に法務省が内規を変えたからです。

西岡　法の改正もしてないんですけれど、それまでは日本在留二十年というのが条件の一つに入っていた。それを十年に変えた。十年というのは留学したり、いろんなことでクリアできる。それで急速に伸びた。特定技能1号と2号があって、それぞれ五年まで在留できるから出口では一般永住を待つことができる。平成三十年（二〇一八年）、特定技能が入った入管法改正のときに、私が起草して国家基本問題研究所で政策提言を出して、「入管法改正案を審議する中で、一般永住急増の危険性を具体的に採り上げ、付帯決議に『入管法22条の厳格な運用』という文言を入れて、永住者急増を抑えるべきだ」と主張しました。それを真摯に受け止めた衛藤晟一参議院議員らが立ち上がって、参議院で附帯決議が入った。それでも今にいたるまで何も手が入れられなくて、一般永住者はどんどん増え続けた。

阿比留　政治家も、国会でも一度も議論していないので、マスコミも記事に書いていないけれど、平成十年に永住者を増やすという政策決定がされたんです。だから、結果として増えて、それは移民ですよ。だから、それでいいのかという議論をしなくちゃいけない。埼玉県川口市のクルド人とか問題になっていますよね。自治体も気の毒です。

西岡　岸田さんも「移民メガネ」と言われたくないでしょうから、その法務省の内規にメスを入れたほうがいいですよね。そういう内規が二十五年前につくられていますが、今日に合わなくなっているから、実情に合わせて廃止とか、元に戻すとか。そういうことをすれば、逆に拍手喝采だと思う。

阿比留　不法滞在者の話がありましたけれど、その管理を厳しくする入管法改正案も通りましたしね。

西岡　通りましたよね。

阿比留　安倍政権のときにつくっていた入管法改正が、スリランカ人が亡くなったことで通らなかった。それで、岸田政権が今回通した。あれは、いい改正だと思いますけどね。だって不法滞在をしているのに難民申請して、強制退去命令が出ているのに強制退去を拒否している人がどんどん増えて収容所に入らなくなって、それで仮放免っていう形で出ていっちゃって、行方不明になって、犯罪を起こすみたいなことが起こっている。

西岡　法務省によると、令和二年末の送還忌避者は約三一〇〇人（収容約二五〇人，仮放免約二四四〇人，逃亡手配約四二〇人）であり、そのうち一年を超える実刑判決を受けた者が約四九〇人、難民認定申請三回以上の者が約五四〇人でした。

何度も、難民申請さえすれば、ずっと日本にいられるってことになっちゃいますから。改正によって完全にじゃないけれど、限定的には犯罪を防げるようになった。

阿比留　しかも、強制的に帰国させられる。

西岡　不法在留で強制退去処分が下っても難民申請すれば、結果がわかるまで強制退去できない。申請している間は強制退去が保留になるわけですよ。一度落ちても、もう一度やるわけで。永久に申請して一〇回も申請している人もいる。その間は日本にいられた。でも、今回の法改正で三回までで、四回目になったら申請中も強制退去できることにした。逃亡者防止のため罰則を新設した。その一方、難民資格は認められないが人道的理由がある者を「補完的保護対象者」として在留を認める制度を新設するなど、人権にも配慮した。いいことですよ。

阿比留　もちろん法案自体は前からあったわけで、いいことをやったけれど、スリランカ人が亡くなった件と、マスコミがとにかく外国人に非常に弱い。優しいっていうか、あまりにも無条件に外国人をかばう方向に動く。

西岡　センセーショナルに報じられた収容所内で病死したスリランカ女性は、留学ビザで入国して学費を滞納し、在留資格を喪失して不法滞在になったケースです。平成二十九年六月、留学のため入国。三十年九月に留学ビザ一年三カ月の期限が切れるタイミングで、帰国したら地下組織に殺されるという理由で難民申請し、三十一年一月申請が却下され、逃亡して不法滞在となる。令和二年八月十九日、同居していたスリランカ人男性の暴力から逃げるため警察に出頭し、入管へ移送され、八月二十日に入管施設に収容されて、帰国の意思を表明。しかし、コロナの影響で送還不可能となり、12月に支援者が面会に来るようになり送還忌避者となった。令和三年一月に体調不良を訴え、三月六日に死亡。

阿比留　クルド人の話題になっている件だって、産経新聞にしか書かれていない。

西岡　他紙は書いていないんですか。

阿比留　結局、外国人とか外国人労働者とかに対する批判とか、危険性の指摘ってマスコミは避けている。政治も避けている部分がありますよね。

西岡　だから、問題になった。強制退去がかかった場合も、未成年の子どもがいると特別扱いになる。密港とかで入ってきた人たちも含むけれど、不法滞在で日本で結婚して生まれた子どもは日本語しかできない。マスコミは「かわいそうだ」と報道する。さらに法務大臣が「そういう人に原則として特別在留許可を出す」と言っちゃったわけです。それがネットなどで批判されている。「ケースバイケースで人道的な配慮する」と言えばいいのに、そう言ってしまった。

なぜかというと、人道に反していると主張する側の攻撃ばっかりなわけです。この入管法の改正が不法滞在者に対する対策なのだと、人道に配慮しながら一歩進んだんだという側の議論がほとんどない。岸田政権の弱いところはポピュリズム。もちろん、支持率は政治だから考えなくちゃいけないけれど、統一協会のときもそうでしたが、大多数の人たちが「かわいそうだ」と言うと、原則を曲げてしまう。

阿比留　世論に弱い。世論も正しいことを求めている世論ならともかく、勘違いしているような世論にまで、なびいちゃうところがありますよね。

西岡　安倍さんは「日本の世論は戦後レジーム」と言っていました。だから、世論の多数派を変えなくちゃいけない。変えるには時間がかかるから、無理はしないで一歩一歩だと。でも、世論も含めて、戦後レジームがあるのかと思いました。

阿比留　安倍さんから「ネットがなかったら、安倍政権はとっくに倒れていただろう」と何度か聞いたことがあります。安倍さんは自身の発信も含めてFacebook、当時のTwitter、Instagramをうまく使っていた。

西岡　インスタも使っていたんですか。

阿比留　岸田さんも、最近Xを見ていると、時々、発信していますね。もっと茶目っ気のある、生きた感情がうかがえるような投稿が増えればいいと思います。

第六章
岸田外交への期待と不安

岸田総理によるXへの投稿の何が問題だったか

西岡　最近、岸田さんの発言で最も注目されたのは、例のハマスとイスラエルの激突のときのXへの以下の投稿です。

「昨日、ハマス等パレスチナ武装勢力が、ガザからイスラエルを攻撃しました。罪のない一般市民に多大な被害が出ており、我が国は、これを強く非難します。

御遺族に対して哀悼の意を表し、負傷者の方々に心からお見舞い申し上げます。」

「多くの方々が誘拐されたと報じられており、これを強く非難するとともに、早期解放を強く求めます。また、ガザ地区においても多数の負傷者が出ていることを深刻に憂慮しており、全ての当事者に最大限の自制を求めます。」

他国の首脳に比べて遅いという批判があるようですね。でも、遅くはなかったけれど、中身に問題があった。

阿比留　テロという言葉がなかったから、批判されている。遅かったからというよりも、テロを行った側とテロの被害者をどっちもどっちのように扱ったから、炎上した。テロの直後ですから、まずは「イスラエルを支持する」「これは憎むべきテロだ」「民間人の被害がないように望む」と言えばよかったのに、後から遅れて「テロ」と言ったんですよ。最も批判されているのは、ここ。「全ての当事者に最大限の自制を求めます」と言ってしまった。しかも、イスラエルが自衛権の行使と言っているときに、自制しろと発言したのはまずかった。

西岡　テロを起こした犯人と、テロを受けて被害を被った人間を同列に並べた。そのようにしか読めない文章を投稿してしまった。

阿比留　日本は欧米とは違ってアラブ社会に原罪はないし、友好関係があるから、これでいいんだと言う人もいるけれど、テロはテロだから。それと、パレスチナとハマスは別で峻別しないといけない。日本政府は以前からハマスのことを、政府見解でテロ組織に準じると位置づけてきたのだから。

西岡　パレスチナ対イスラエルじゃなくて、イスラエル対ハマスが原則で、その後にパレスチナの人が盾にされたり、迷惑を被ったりしているというふうに捉えないといけない。

阿比留　もちろん、イスラエルの攻撃でパレスチナの女性や子どもが何人も亡くなった。

アラブの感情が変わる可能性はあるけれど、当面はやはり、テロという言葉を使ってハマスを名指しで批判した後に、被害が広がらないように努力を求めるのがいいかと。

西岡　今、アメリカはそう言っていますね。まずは「自衛権の行使を支持する」と言って、その後で「国際戦争法を守り、民間人の犠牲をできる限り小さくするべき」と言うべきです。

阿比留　こんなことを言っても仕方ないけれど、岸田さんの言うこと、なすこと、すべて半歩ズレている感じがしますよね。

「イスラエルのまわりには、まともな国は一つもない」

西岡　ウクライナの戦争では、岸田政権は「侵略」という言葉をいち早く使った。マスコミは、まだ「侵攻」とか言っていますよね。侵攻や侵略という言葉は、価値観を含む。だから、岸田談話で侵略という言葉を使うか使わないかが注目された。マスコミは、日本の過去については「侵略という言葉を使え」と言うけれど、目の前のロシアの蛮行には、その言葉を使わない。現在の国際法上では侵略と決められたら、安保理事会の武力制裁の対象になるわけです。だからこそ、侵略とは重い意味を持つ言葉。
　岸田政権は早い段階で、侵略と断定した。これは素晴らしかった。有村治子参議院議員などが提案して、すぐ茂木幹事長が入れて政府与党が全体で「侵略」という言葉を早い時期に使ったけれど、マスコミは依然として「侵攻」なんですね。「侵攻」だと、進出していったという感じに聞こえる。「侵略」だと「悪」という価値判断が明確に含まれる。その点、私は岸田政権を高く評価していますが、そういうことは全然報道されないから、自分たちでもっと広報してほしい。今回、テロという言葉を早く使っていればよかったと思うけれど、数日後にテロと言いましたよね。

阿比留　数日後、まず岡野外務次官が使った。その後に松野官房長官が使った、という流れですね。

西岡　テロ直後は犯人と被害者を同列にしました、すぐ修正してテロを非難しました。この件に関しては、マスコミのほうがもっと悪い。

阿比留　マスコミも今回の件はすごく反省点が多くて、特にガザの病院に攻撃して四七一人が死んだと一斉に報じた。それは、ガザの保健当局の広報ですね。ガザの保健当局は、実質ハマスだということを頭に入れずに、そのままイスラエルがこんなことやったと、産経新聞も含めて報じた。翌日、産経新聞は一応、訂正内容を盛り込んだ記事を一面で載せましたが、他紙を見たら、それもほとんど書いてないところは結構ある。だから、イスラエルを根拠なくハマスの広報に従って悪者にした後、違う情報があることを、きちんと書いていない。

西岡 今、イスラエルが、どんどん爆撃しているでしょ？　建物も、どんどん壊れていますよね。爆撃しているのはトンネルの入り口だと。地下にものすごいトンネルがあるわけですよ。解放された人質たちもトンネルに連れて行かれたと言っているじゃないですか。だから、トンネルの中にいるゲリラと戦わなくちゃいけない。でも、トンネルの入り口が病院だったり、幼稚園だったりする。つまりパレスチナ人を「人間の盾」に使って、テロ基地をつくっているわけです。

パレスチナ人のための人道支援も、ハマスがくすねて武器弾薬にした。だからこそ、パレスチナ人の生活が良くないという部分もある。だからイスラエルは、陸上戦をやる前に、入り口を全部叩く。それはピンポイントでわかっているわけです。だから、なるべく避難してくれって、最初に言った。避難の時間を与えたうえで、地下にあるテロ基地の入り口を全部叩くと。

阿比留　もぐら叩きみたいになる。

西岡　そういう所での陸戦は大変。だから入り口を全部叩いたうえで、次にトンネルに入っていかなくちゃいけない。入っていくと、地雷とか何があるかわからない。ハマスを撃滅させるのは、そういう作戦。だから、こうやってピンポイントでトンネルの入り口がある建物を壊している。

阿比留　安倍さんはネタニヤフと何度か会っているけれど、安倍さんが中東に行って、ネタニヤフと大統領府で夕食会を共にしたときにネタニヤフが、「アッバスはとんでもない」と怒っていた。なぜかというと、安倍夫婦とネタニヤフ夫婦の四人で食事していたわけですが、ネタニヤフは、アッバスともちょうど同じように食事をしたことがあるという。そのときにアッバスはネタニヤフに「ハマスを殲滅してくれ！」と言っていたと。

あのとき「ハマスを殲滅してくれ」と言ったのに、その後、ハマスとなあなあになりやがってみたいな、そのことで怒っていたと安倍さんから聞いたことがあります。また、安倍さんが日本が提唱していた人道回廊のために、ここに道をつくってくれないかって話をしたら、四人で話しているはずなのにネタニヤフがパチンと合図をしたら、ドアが開いて、向こうの情報長官が入ってきた。地図をいきなり広げて、「ここではですね……」と説明し出したと。中東にはそれだけ常に緊張感があるわけです。

安倍さんが「パレスチナとも、もう少しうまくやれないものでしょうか」みたいな話をしたら、ネタニヤフは「安倍さん、イスラエルのまわりには、日本と違って、まともな国は一つもないんですよ」と言っていたそうです。

岸田外交は安倍外交の延長線上にある

西岡　今回の中東の衝突以外のことを言うと、岸田首相と櫻井よしこさんの対談を読んで、あらためて思いましたが、まずは岸田さんにとって安倍外交の遺産は本当に得難いもので、自分は外相として安倍さんと同行することも多かったから、その恩恵に預かっているし、さらに発展させていきたいと述べている。だから岸田外交は間違いなく、安倍外交の延長線上にあると、私は理解しています。さらに、例のウクライナ問題に関しても、明確にロシアを非難して、制裁も加えて。要するに安倍さんのクアッドとか含めて、これも継承しているし、これは中国包囲網だとも明言していますよね。だから、岸田政権は外交は非常に期待できると思う。

阿比留　基本的に、安倍外交を引き継いでいるとは思います。だからＮＡＴＯとの関係にしても、イギリスとの準同盟関係にしても、安倍さんが下地をつくってきたものを、ますます発展させて完成させてほしい。完成という言葉は変かもしれないけれど、より高次元にしてほしい。やはり、法の支配とか自由とか、そういう価値観に基づいた外交を展開してほしいと思っています。ただ、今回のハマスとイスラエルの件となると、まず当初、カナダと日本を除くＧ７のうちの五カ国が、イスラエル支持表明のような話を出したとき、日本は入っていなかった。外務省の中東関係者は、「日本は外された」みたいなことを言っていたという。

　次に六カ国が入って、カナダも入ったのに、日本だけ入らなかった。もちろん日本はヨーロッパとは違います。イスラエルとパレスチナの対立を生む原因となったような、英国が双方に独立を約束するなどといった、変な策動に日本は何も加わっていません。

西岡　日本と欧米は国益が違う。しかし、テロは許さないという普遍的価値の観点で、日本も入ってほしかった。

阿比留　松野さんが官房長官記者会見で、日本がイスラエルの自衛権を認める輪の中に入らなかった理由を聞かれて、入っている六カ国はみんな人質がいると話した。でも私は、それを言っちゃいけないだろうと思いました。西岡さんの前ですけれども、拉致問題を抱えている我が国が、拉致問題で各国に協力や団結を求めているとき、「いや、うちは拉致被害者はいないから」なんてすり替えられるような話で、これはないだろうと思いましたね。テロとの戦いは、日本も加わり方には濃淡があっていい。ですが、やはり、原則は入るべきじゃなかったかなと思います。

同時多発テロ後、テロは戦争になった

西岡　コメンテーターの橋下徹さんがテレビで「自衛権は国家対国家」と言っているんですが、頓珍漢ですよね。９・１１同時多発テロが起きたとき、アメリカは「テロとの戦争」と宣言した。つまり、それは軍隊を出すってことですよ。テロというのは、基本的には犯罪ですから、ＦＢＩの範疇で、つまり警察権で当初は取り調べするわけですね。でも、規模があまりにも大きいテロ集団に対しては軍隊を出すことになるので、戦争なんですね。

アメリカが自衛権の行使をすると言った。その戦争を日本が支持した。つまりテロの規模が大きくなって、一人や二人を殺すということではなくなっている。同時多発テロの後はそうなったんです。

阿比留　9・11の後、日本でも、そうなった。みんなが次々に表明して、そういう認識が広がった。だから橋下さんの言っていることは、一体、何年遅れているんだということになりますよね。

西岡　G7の中で六カ国が原則として、イスラエルの自衛権行使を支持すると言ったでしょ? 自衛権ということは、つまりテロとの戦争。軍隊を出すということで、これは国家ではないけれど、テロ組織が五〇〇〇発のミサイルを撃ち（ハマスの主張。イスラエルは、その半分だったと主張）、それからパラグライダーとかトンネルを使って数千名の軍服を着ていない非正規武装集団が領土に入ってきて、二四〇人ぐらいを拉致し、一二〇〇人を殺して戻っていった。これは侵略行為だと、だから軍隊を出すと。

つまり、警察だと逮捕したら三審制の裁判にかける。人権は認められる。でも、軍隊を出すってことは、相手が正規軍ではないテロ集団だけれど殲滅するってことですよね。それくらいひどい被害をイスラエルが受けたことについて、G6が自衛権行使を支持すると言ったとき、どうして日本が入れなかったのか。一番の利害は例えば日本が大規模なテロにあったとき、世界に連帯を求める。あるいは、我々は「拉致はテロ」と言って世界中に一緒に戦ってくださいと訴えた。我々だってテロに遭う機会があるわけですから、「テロは絶対にやっちゃいけない、憎むべきもの」と言うほうが、国益だと思いますね。

阿比留　政府は鈴木宗男さんの質問書に対して、前述したようにハマスについてテロ組織とはっきりと言っていないけれど、テロ組織に準じるものとして扱っていることは、答弁書を出しているから明確です。だから、ほぼテロ組織と認めている。また、民主党政権のときに鳩山さんが米軍普天間飛行場移設問題で迷走しましたよね。あの頃、アメリカ勤務から帰ってきた日本の外務省幹部と話していたら、「日本ではアメリカが鳩山さんの普天間迷走に怒っている話は、よく聞くけれども、それだけではなくて、同じぐらい怒っていることが別にある。それは、安倍政権の末期から民主党がインド洋での給油を邪魔してさせないようにした。テロとの戦いから、日本は脱落したということ。それでアメリカは怒っている」という話をしていた。つまり、今日に至るまで日本はテロに対して認識が甘いということを、今回の岸田政権を見ながら思ったわけです。

西岡　私も、ちょうど第一次安倍政権の末期、拉致家族と一緒に訪米した。国防総省に行きました。国防総省の幹部に会って、そのときに民主党の国会議員、それから平沼赳夫さん、自民党の国会議員と議員団も一緒に付いてきてくれました。亡くなりましたけれど、中井洽さんが民主党の拉致対策本部長だった。

中井さんが国防総省の幹部に、「いまブッシュ政権は北朝鮮をテロ国家指定しているけれど、解除の動きがある。解除はしないでくれ」と言ったんですよね。「いや、よくわかる。あなたの言うことには賛成だ」と国防総省の人間は言った。「しかし日本に、特に民主党に言いたいことがある」と言いだした。「いま、アメリカは中東でイラクに対してテロとの戦争をやっている。それに対して対テロ特措法をつくって、日本は給油していた。でも、民主党の反対で国会がねじれたために、それが止まった。テロとの戦いを日本は戦っていない。それは大変不愉快だ」となって、それまで温かい雰囲気だったのが険悪なムードになった。

まさに、あのときだって日本は対テロ特措法をつくって、特別措置法で自衛隊を出したわけじゃないですか。日本もテロとの戦いに加わった。だから、テロは憎むべきものというのは、９・１１テロの後の世界の常識だし、あるいは東京オリンピックだってテロに遭うかもしれなかったわけです。だからテロ・ユニットをつくって、世界中の情報機関と情報を交換しながら守ったわけじゃないですか。そういうこと考えて、国民もそうですけれど、ハマスに対して、これはひどいテロだ、テロ組織なんだという意識がないのは残念だったですね。

阿比留　テロに対する怒りは、日本人にはあまりない。悲惨だなとか、可哀相だなで終わっていますよね。

西岡　だから、保守と言われる人たちの中でも、国益ということを言ってテロについて言わなかった、最初の岸田さんのXの表明がいいと言う人もいるけれど、私は「テロは憎むべきものだ」と思います。

あるいは中国のような、ひどい人権侵害、ジェノサイドをやっている国だから中国は悪だと言い切るべきです。中国は日本が地政学的に対立しているから警戒しなくちゃいけないんじゃなく、許しがたい全体主義国家だから、中国のような全体主義国家の影響圏が世界に広がることは絶対に許せないんだという価値観に立たないと、戦えないんじゃないかと思うんです。

阿比留　価値観外交に関しては麻生さんも安倍さんも同じだった。宏池会から、価値観外交はあんまり好きじゃないという声が時々聞こえたんですよね。岸田さんにその意図があるのかどうかわからないけれど、そういう警戒も感じます。

「だったら外務省なんか要らねぇんだ！」

西岡　今般のテロの前にさかのぼりますが、評価の声が多かった岸田さんのウクライナ電撃訪問。あれも木原誠二さんが、かなり動いたようです。あと産経新聞で報じていたけれど、岸田さんも日本国としてウクライナ支援を表明している。その当事国に行かないのは格好がつかない。外務省にそういうフィックスをしろと言ったけれど、なかなか外務省は動かなかった。それに対して岸田さんが、「だったら外務省なんか要らねぇんだ！」と声を荒げたそうですね。

知人でミャンマーで遺骨収集をやっている井本勝幸さんという日本ミャンマー未来会議の代表がいて、彼は遺骨の問題で官邸を訪れて面会したとき、岸田さんに幾つか協力を要望しました。隣に木原さんがいて、岸田さんが開口一番、言った言葉は「木原君、何からやろうか？」だったと。全部、木原さんに相談して決める。

阿比留　岸田さんは外交中心だれけど、前にいろいろなこと進めているのも、木原さんの影の力でしょう。木原さんが日米首脳会談の際にポケットに手を入れていたとか、悪く言う人もいますが。

西岡　今回、木原さんを官邸から手放すに当たっても、幹事長代理という、普通は閣僚経験者のポストに就けた。それだけ岸田さんの周りに人がいないとも言えますが、木原さんに大きく頼っているんでしょうね。

阿比留　一方で、例の『週刊文春』のスキャンダル報道がありました。

西岡　あれはひどいですね。

阿比留　細部は全部読んでいません。あまり関心がないし。ですが、プライバシーのことを、憶測を交えて何でも書くというのは人権侵害でもあるし、政治家だったらその家族を含めて、どんなふうに扱われようといいというのは、まったく違うと思います。もう一つ言うと、事実関係もおかしい。自民党情報調査局長ごときが、警視庁の殺人事件の捜査に介入なんかできるわけがない。それを承知のうえで書いているのか、私にはわからないけれど、自民党の情報調査局なんて名前だけ。警察にとって殺人事件はいわば聖域です。東京都選出の議員とはいえ、そんなことはあり得ない話ですよね。

西岡　『週刊文春』の狙いは、どこにあるんですかね。結局、岸田叩きの一環。しかも、それが売れるから。

阿比留　売れるし、岸田叩きになるし。あと文春をはじめマスコミって、一度叩いたら結果を出さないと収まりがつかないというか。木原は絶対潰してやる、みたいな目標があったんじゃないですか。

西岡　『月刊ウイル』の木原さんと加藤康子さんの対談でも、加藤さんが「どうなの？」と迫っていた。木原さんは包み隠さず話していました。

阿比留　でも、木原さんは木原さんで、私、文句もありますよ。官房副長官の役割は、総理のスポークスマンも兼ねなきゃいけないのに、訪米した総理の横にくっ付いておきながら、日米首脳会談のブリーフ役とか、本来は副長官がやるはずなのに木原さんはやらない。あと、官房副長官は参議院と事務と衆議院の三人いますけれど、これまでは慣例としておのおの週一、二回、担当記者と官邸で懇談という名の背景説明とか、そういうふうなことをやる。木原さんは、それもやらない。忙しいのは事実だとしても、総理の真意とか決断の背景とかを伝えるべき立場の、しかも、内実、最も相談を受けている人がその役割を果たしていない。

西岡　それは、いかがなものかと思いますね。私は木原さんと直接面識ないので、あんまり言えませんけれど、能力は高いんでしょうがね。

阿比留　逆に言うと、宏池会の限界でしょう。宏池会で人を集めようとすると集まらない。佐渡金山の世界遺産のとき、岸田さんが悩んで決められなくて、ふらふらしていた。安倍さんが、ある意味、宏池会政権の限界とも言っていたけれど、それは歴史問題とかに詳しい人がいないってこともそうだし、総理に的確なことを言う人もいないということでしょうからね。

西岡　他方、この人は宏池会じゃないですけれど、高市早苗さんがいます。保守層からは人気が高い。岸田さんは、もちろん、総裁選の前に取り込むというのもあるんでしょうけれども、高市さんを連続してセキュリティ・クリアランス、経済安保省にずっと起用し続けた。

阿比留　読売新聞に、処理水放出の件で中国に反論しないほうがよかったみたいな記事があった。岸田さんが「中国を刺激するんじゃないかな」と心配したと書かれていた。その記事を読んだ高市さんは、「がっかりやわ」みたいなことをXに投稿した。

でも、高市さんはそんなこと発信すべきじゃなかったと思います。納得がいかないことがあるなら、直接言えばいい。外部に日本政府がガタガタしているように思われることは、避けたほうがいい。

ただ、私は高市さんと今まで話してきた中で、数カ月ほど前かな、「総理はセキュリティ・クリアランスについて関心がないから」と言っていたことがありましたね。しかも、総理の携帯番号も知らないと。だから、総理と話をつけたいことあるから、秘書官に連絡しても、秘書官が取り次いでくれないとか。岸田さんとは距離がありますよね。

拉致問題解決と憲法改正を実現できれば歴史に名が残る

阿比留　今後の岸田外交への期待、または不安はありますか。

西岡　拉致問題については新しいことをやろうとしてくれて、水面下で交渉していると思います。それは安倍さん、菅さんも一生懸命やってできなかったことだけれど、やってほしいなと思いますね。先日の所信表明演説で、拉致問題を項目に立ててかなり長く喋っていました。

演説では四つ目の段落に「外交・安全保障」が置かれた。そこには四つの項目があったのですが、なんと拉致問題はその四つの項目の三番目の項目として、独立して扱われた。すなわち（国際環境の変化と岸田外交）で国際環境の変化について全般的に語り、（岸田外交の積極的展開）で各国との関係を語った後、三番目に（拉致問題）が置かれ、最後に（防衛力の抜本的強化）で安全補償問題を語った。これまでの歴代首相の国会での所信表明演説・施政方針演説をすべてチェックしましたが、拉致問題だけを単独項目として扱ったのは、今回の岸田演説が初めてです。

〈（拉致問題）

拉致被害者御家族が高齢となる中で、時間的制約のある拉致問題は、ひとときもゆるがせにできない人道問題であり、政権の最重要課題です。

全ての拉致被害者の一日も早い御帰国を実現し、日朝関係を新たなステージに引き上げるため、また、日朝平壌宣言に基づき、北朝鮮との諸問題を解決するためにも、金正恩委員長との首脳会談を実現すべく、私直轄のハイレベルでの協議を進めてまいります。日朝双方の利益に合致し、地域の平和と安定にも大きく寄与する、日朝間の実りある関係を築いていくために、私は大局観に基づく判断をしてまいります。〉

金正恩に伝えるメッセージだった。あらゆる努力をしている一環でしょう。

それから、「ロシアのウクライナ侵略」とまた明言しました。でも、価値観外交に立つのだったら、ウクライナに殺傷兵器を送れるように早く基準を変えるべきですね。今、公明党との話し合いをしていますね。

阿比留　とにかく武器輸出三原則の見直しも、さらに必要です。

西岡　まだ殺傷兵器は駄目だと言っているから。日本には貢献できる部分はあるので、総理が全部決められることはできないかもしれないけれど、侵略と戦うのならば、血を流す前に武器を送ることができる。それをやらないで人道支援、復興支援としか言っていないのは、残念です。日本が侵略されたときにアメリカに血を流してくれって言っているわけですよ。

ロシアのことを侵略と言い切っていることはいい。ですが、一方、「イスラエル・パレスチナ情勢をはじめ、世界各地で深刻な事態が多発し……」と言っていましたね。パレスチナと言っていて、ハマスじゃなかった。

阿比留　あえて、わざとパレスチナとハマスを分けなきゃいけないところを、なぜ一緒にしがたるんですかね。

西岡　外交通の人たちの日本の立ち位置を入れているのでしょうけれど、価値観外交に立ってほしいなとは思いましたね。

阿比留　あと、拉致問題と憲法改正について、岸田さんが自ら準備したわけではないにしても、客観的に見たら、今までより本当に実現できる可能性が高くなっている。環境は整いつつあるわけです。衆院選の結果で、どうなるかわからない部分はあるけれど、そういうことを考えると、本当に岸田さんはうまくやれば、歴史に残る大宰相として、名前を残せる状況にありますね。次の選挙も難しい状況ですが、仮に次の選挙をなんとか凌いで勝てば、本当に憲法改正ができますし、拉致問題も大きく動くかもしれない。

西岡　昨日、国会でも岸田総理は憲法改正について、自分の任期中にやり遂げたいと言っていましたね。

阿比留　その「自分の任期中」という言い方も、どうなのか。当初は自民党幹部からも「二期目の任期も含めて、という意味だろう」という声を聞きましたが、はっきりしなかった。そこで岸田さんは最近になって、来年の九月までだと言い出しましたが、かなり厳しいスケジュールとなります。だから、任期中と言わずに、「再選して自分が総理として必ずやり遂げたい」と言い続ければよかったのではないか。でも、本当に憲法改正と拉致問題解決を成し遂げたら、それはもう歴史に名が残る。

西岡　岸田さんは先の櫻井よしこさんとの対談で憲法改正について、「できる、できないではなく、やらなくてはならない」と言っています。その心意気や良しと思いますし、そういう時運に巡り合わせること自体が、総理としての運でしょう。

阿比留　運が強いと言われていますよね。本人が特に計らわなくても、状況が岸田さんに都合よく好転していく場面を何度も見てきました。

西岡　逆にそれができなかったら、歴史に埋没してしまうかもしれませんし。

おわりに

《阿比留瑠比》

「（新聞は）そろって性悪でもないし、それほど深いたくらみを抱いているわけでもない」

米国の著名なジャーナリスト、ウォルター・リップマンは約百年前の一九二二年刊行の著書『世論』で、こう説いている。新聞社に勤務して三十四年目となる私も、当初はそう考えていた。

新聞は人員不足も含む能力不足や思い込み、勘違いから誤報を書くことはあるし、時には意地悪でもあるが、それは必ずしも悪意に基づくものではないだろうと。周囲の記者や同業他社の知人らの顔を思い浮かべても、誰かを陥れるために捏造や歪曲を平気でするようには思えなかったからである。

朝日新聞をはじめ、独自のイデオロギーで「角度」がついた報道機関は確かに珍しくはなかったが、あくまでそれは報道の範囲の話であり、時に事実の歪曲としか思えないような記事を見ても、「性悪」な事例はあくまで例外であり、全体像ではないと考えていた。

そこに「深いたくらみ」などあろうはずもないと甘く考えていた。

だが、そうした見方は、第一次安倍晋三政権の頃に捨てざるを得なかった。

とにかく安倍首相とその政権批判に結びつけられるものになら何でも飛びつき、針小棒大に報じる一方、それに対する反証は一切報じない。「消えた年金」問題など、歴代政権と社会保険庁(当時)の怠業に起因する問題も、すべて安倍政権のせいにする。

閣僚の言葉は切り取って失言と断じ、辞めるまで責め立てる。首相官邸内の政治家の離反を狙った歪曲記事で政治家同士の疑心を招こうとし、同時に国民に不信感を植え付けようと試みる。慰安婦問題で安倍首相が事実に基づく発言をしても、それをとんでもない暴言だと報じ、印象操作を行う。

第二次安倍政権でもモリカケサクラ……と冤罪で足を引っ張り続けて、恬(てん)として恥じない。それどころか、正義の見方を気取っている。そんなマスコミの姿は、業界の片隅で禄を食む者として、私も恥ずかしかった。この頃には、それまで「必要悪」だと考えていたマスコミの存在が、ただの「悪」ではないかと感じるようになった。

そして、そうした嫌悪感は、現在の岸田文雄政権に至っても続く。目の前に展開している光景は、まさに集団(メディア・スクラム)によるいじめではないか。振り返れば、劇作家で評論家の福田恆存は、昭和三十年に発表した論文『輿論を強ひる新聞』で、既に新聞による吉田茂首相糾弾の在り方をいぶかっている。

「こんなにやつきになつて罵詈雑言を浴びせかけなくてもよささうなもの」

「どの新聞もどの新聞も、まるで相談したやうに反吉田になつてゐる」

福田は「一度、反吉田の線をだした以上、どうしても辞めてもらはなければ、ひっこみがつかない」とも分析するが、安倍政権に対しても岸田政権に対しても、きっと同じだろう。マスコミの歪んだ自己愛の表れである。

今回、尊敬する西岡力さんと二冊目となる対談本を出す機会に恵まれ、マスコミやその周囲を取り巻く人々の諸問題について、議論させてもらった。西岡さんの豊富な経験に基づく洞察と知見には、いつも刺激をもらっている。深く感謝したい。

令和五年十二月

西岡　力

×

阿比留瑠比

メッキが剥がれた マスメディアの「不都合な真実」

2024年1月12日　第1刷発行

著　者　西岡　力×阿比留瑠比

発行人　岩尾悟志
発行所　株式会社かや書房
〒162-0805
東京都新宿区矢来町113　神楽坂升本ビル3F
電話　03-5225-3732（営業部）

印刷・製本　中央精版印刷株式会社

ISBN 978-4-910364-42-1　C0031